Hamed Abdel-Samad
Der Untergang der islamischen Welt

Hamed Abdel-Samad

Der Untergang der islamischen Welt

Eine Prognose

Droemer

Dieses Buch wurde auf chlor- und säurefreiem Papier gedruckt.

Besuchen Sie uns im Internet:
www.droemer.de

Copyright © 2010 by Droemer Verlag
Ein Unternehmen der Droemerschen Verlagsanstalt
Th. Knaur Nachf. GmbH & Co. KG, München.
Alle Rechte vorbehalten. Das Werk darf – auch teilweise – nur
mit Genehmigung des Verlags wiedergegeben werden.
Satz: Adobe InDesign im Verlag
Druck und Bindung: C.H.Beck, Nördlingen
Printed in Germany
ISBN 978-3-426-27544-3

5 4 3 2

Für meinen Vater, der mir als Kind den
gesamten Koran beibrachte.
Als Erwachsener sagte ich zu ihm:
»Ich bin vom Glauben zum Wissen konvertiert.«

Inhalt

»Wer keinen Zielhafen hat,
dem weht jeder Wind aus der falschen Richtung.«

Francis Bacon

Einleitung
oder: Morgenland ist abgebrannt

V or ein paar Jahren war ich ein unglücklicher Polito-
logie-Student an einer durchschnittlichen deutschen Universität. Das Studium lief nicht besonders
gut, und die Identitätskonflikte keimten allmählich in
mir auf. Aus dem einst neugierigen ägyptischen Studenten, der nach Deutschland gekommen war, um Wissen zu erlangen und in Freiheit leben zu können, war
auf einmal ein hilfloser Kulturkämpfer geworden, der
für sein Gastland nur noch Verachtung übrig hatte. Die
Schwächen meiner eigenen Kultur und die persönlichen Konflikte, die ich nach Deutschland mitgebracht
hatte, wagte ich nicht auszupacken. Mir blieb nur, eine
Art Identitätspoker zu spielen.

Die wichtigste Karte in diesem Spiel war, die eigene
Kultur zu verniedlichen und die Kultur der anderen zu
verteufeln. Dazu gehörte, alle meine persönlichen
Ängste und kulturellen Unsicherheiten auf Deutschland zu projizieren. Und so fing ich an, in den Geschichtsbüchern nach den Schandflecken des Westens
zu suchen, von den Kreuzzügen über Kolonialismus
und Imperialismus bis hin zum Neoliberalismus und
Wirtschaftsprotektionismus. Ich liebte es, Deutschen
zuzuhören, die sich selbst zerfleischten und die eigene
Kultur geißelten.

In dieser Phase stieß ich bei einem Bekannten auf ein altes Buch, das mir zunächst als eine Goldgrube erschien: Oswald Spenglers »Der Untergang des Abendlandes«. Ich glaubte, darin alle Argumente gegen die dekadente westliche Zivilisation zu finden, die mich als frommen Muslim so sehr überforderte, und empfand keine geringe Schadenfreude angesichts des bevorstehenden Endes dieser Kultur. Doch schon bevor ich die lange Einleitung des monumentalen Werkes gelesen hatte, war ich bereits ermüdet. Abgesehen davon, dass das Buch in einer Gelehrtensprache geschrieben wurde, die für einen ausländischen Studenten, der erst vor wenigen Jahren Deutsch erlernt hatte, schwer verständlich war, hatte der Inhalt des Buches mich schockiert. Denn der Zustand der untergehenden Zivilisation, wie Spengler ihn beschreibt, kam mir sehr bekannt vor. Die in die Jahre gekommene Kultur, die kalt und seelenlos geworden und vom Materialismus und von formloser Gewalt unterwandert war, kannte ich gut. Ich plagte mich durch den schweren Text, bis ich auf diese Passage stieß:

>»Zuletzt, im Greisentum der anbrechenden Zivilisation, erlischt das Feuer der Seele. Die abnehmende Kraft wagt sich noch einmal, mit halbem Erfolg – im Klassizismus, der keiner erlöschenden Kultur fremd ist, an eine große Schöpfung; die Seele denkt noch einmal – in der Romantik – wehmütig an ihre Kindheit zurück. Endlich verliert sie, müde, verdrossen und kalt, die Lust am Dasein, und sehnt sich – wie zur römischen Kaiser-

zeit – aus tausendjährigem Lichte zurück in das Dunkel urseelenhafter Mystik, in den Mutterschoß, ins Grab zurück.«

Ich las diese Passage mehrmals, so lange, bis ich sie schließlich verstand. Dann legte ich das Buch beiseite. Ich konnte den Gedanken nicht ertragen, dass Spenglers Analyse in vielerlei Hinsicht auch auf den Zustand der heutigen islamischen Welt zutrifft. Ich sah vor mir die vielen Muslime, von denen ich weiß, dass sie sich in der modernen Welt nicht zurechtfinden und sich in eine vorgebliche Religiosität flüchten. Ich sah die aufmarschierenden Islamisten, die sich dem Geist der Zeit verschließen und von der imaginären Urgemeinde des Islam in der Stadt Medina schwärmen. Ich sah mich. Ich empfand keine Schadenfreude, sondern Verunsicherung und Wut und musste die Lektüre unterbrechen. Ich hatte Angst, dass meine Vorstellung von meiner eigenen Kultur nichts anderes war als eine Blase, in der ich mich vor der Realität über Jahre versteckt hatte. Von nun an hasste ich Spengler und sein Buch und Deutschland umso mehr. Für eine kopernikanische Wende war es noch zu früh.

Erst mehr als zehn Jahre später wagte ich mich noch einmal an »Den Untergang des Abendlandes«. Mein Deutsch war zwar immer noch nicht perfekt, aber ich verstand diesmal mehr. Nun las ich das Buch mit anderen Augen und versuchte dabei Spenglers Rat zu folgen, dem Untergang der eigenen Kultur »gefasst in die Augen zu schauen«. In Analogie zum Sprießen, Blühen und Verwelken einer Pflanze hatte der Münchner Privatgelehrte Oswald Spengler in seinem 1918 erschienenen Buch versucht, den Lebenszyklus einer Kultur als »Morphologie der Geschichte« zu erklären. Ein Bild, das er vermutlich vom arabischen Geschichtsphilosophen Ibn Khaldun aus dem 14. Jahrhundert übernommen hatte, der von Kindheit, Jugend und Alter einer Kultur gesprochen hatte.

Den Prozess vom Aufstieg über die Blüte zum Niedergang hatten alle Hochkulturen durchlaufen müssen, von den Pharaonen über die hellenistischen Griechen und die Römer bis hin zum Osmanischen Reich. Der späte Zustand der Zivilisation, so Spengler, zeichne sich durch Geschichtslosigkeit und Erstarrung aller Lebensbereiche aus. Zivilisationskriege und Vernichtungskämpfe werden begleitet von anarchischer Sinnlichkeit und Unterhaltungsindustrien. Das Verschwinden der kulturinteressierten Bevölkerung, der Tod der Kunst und die Fixierung auf *panem et circenses,* Brot und Spiele – es sind alles Erscheinungen, die man beim genaueren Blick in eine islamische Gesellschaft, vorausgesetzt, man sieht über die fromme Fassade hinweg, deutlich erkennen kann.

Nicht nur wegen der Erstarrung des religiösen Denkens sehe ich heute den Untergang der islamischen Welt als unausweichlich an, sondern auch angesichts der Tatsache, dass die meisten islamischen Länder mittlerweile einer Konsummentalität verfallen sind, aus der es für sie keinen geistigen Ausweg zu geben scheint. Die Religion ist nicht in der Lage, ein Gegengewicht zum herrschenden Materialismus zu bilden und die Gesellschaft in ein Gleichgewicht zu bringen, denn die Religion steht im scharfen Konflikt mit dem Materialismus und verflucht dessen Geist. Dies ergibt eine explosive Kombination, die weitaus gefährlicher ist als eine selbst radikale Religiosität allein.

Während sich im Westen ein Gegenpol zum Materialismus und Konsumverhalten im kulturellen Repertoire der Aufklärung und des Humanismus findet, mangelt es dem gelebten Islam an einem eigenen gesunden Verteidigungsmechanismus gegen den Konsum, ohne ihn kategorisch auszuschließen und zu verdammen. Man könnte sagen, Konsum ohne Kant führt zu Verwirrung. Indem die Mehrheit der Menschen in den islamischen Staaten die Instrumente und Produkte der Moderne verschlingt, sich dem dahinter stehenden Gedankengut aber nach wie vor verschließt, existiert sie in einem Zustand der Schizophrenie, der über kurz oder lang in Fanatismus oder kulturelle Verwahrlosung mündet – oder gar in beides zugleich.

Dieser Zustand ist längst eine Realität in der islamischen Welt und wird von vielen vereinfacht als ein Konflikt zwischen Tradition und Moderne gedeutet. Doch er verweist meines Erachtens auf den Zerfall einer Religion, die keine konstruktiven Antworten mehr bieten kann auf die Fragen des modernen Lebens und auf den Zerfall einer Kultur, die die eigene Besonderheit über den Wandel stellt, obwohl dieser Besonderheit keine Substanz mehr entspricht.

Was der Westen als Re-Islamisierung der islamischen Welt wahrnimmt, ist in Wirklichkeit nur ein Vorhang, der das Verschwinden der Religion verdecken soll. Die

manchmal aggressive Zurschaustellung der islamischen
Symbole ist nichts anderes als ein Zeichen des Rückzugs der Religion.

»Wer zu viel von Rasse spricht, hat keine mehr«,
schreibt Spengler. Nun kann man dem entgegnen, der
Islam sei keine Rasse. Falsch. Da die meisten modernen
islamischen Nationalstaaten es nicht schafften, ihren
Bürgern eine stabile, sinnstiftende Identität anzubieten,
wird Spenglers »Rasse« durch die Religion als Haupt-
quelle der Identität ersetzt. Da die islamische Religion
aber aus sich heraus keine kreative Kraft mehr schöpfen kann, bleibt ihr nur die Kultur des Widerstandes.
Dieser Widerstand richtet sich jedoch nicht gegen die
wahren Gründe des Rückstandes und mündet in keine
Revolution, sondern sucht sich gleichsam Sündenbö-
cke im Ausland, die für die eigene Misere verantwortlich zu machen sind. Dieser Kampf gegen Windmühlen
raubt der Religion, der Kultur, den Menschen die ver-
bliebene Energie, die eine Gesellschaft für die Veränderung braucht.

Im Westen herrscht die Vorstellung, der Islam sei
übermächtig und befinde sich auf dem Vormarsch. Die
demographischen Entwicklungen in der islamischen
Welt und in Europa sowie die blutigen Anschläge und
schrillen Töne des fundamentalistischen Islam bestätigen viele Menschen im Westen in ihren Annahmen.
Tatsächlich ist es jedoch so, dass sich die islamische
Welt in die Defensive gedrängt fühlt und gegen die in
ihrer Wahrnehmung aggressive Macht- und Wirt-
schaftspolitik des Westens heftig protestiert.

Das Engagement der westlichen Mächte in Afghani-

stan und im Irak sowie die vielen ungelösten Konflikte
in der islamischen Welt, von Tschetschenien bis Palästina, lassen dort Verschwörungstheorien über die hege-
monialen Ansprüche und Bemühungen des Westens
wuchern. Während viele Europäer die Islamisierung
Europas und den Untergang des Abendlandes be-
schwören, sehen sich viele Muslime eher als Opfer eines westlichen Masterplans, der die totale Kontrolle
über die Ressourcen der Muslime und die Unterwan-
derung ihrer Heiligtümer vorsieht.

Diese beiden Wahrnehmungen haben viel mit dem
eigenen Selbstbild zu tun. Es rührt von den eigenen
Ängsten, Unzulänglichkeiten und der Projektion der
eigenen Geschichte auf den anderen her. Die eine Seite
blickt ohne Zuversicht in die Zukunft und hat die Ge-
fahren der Vergangenheit vor Augen: mittelalterlicher
Fanatismus, Religionskriege, Türken vor Wien. Auf der
anderen Seite leckt man die eigenen, aus der Vergangenheit stammenden Wunden und beweint die traumatischen Erfahrungen mit Kreuzzügen und Kolonialismus. Es herrscht Paranoia auf beiden Seiten einer schier
unüberwindlichen geistigen Mauer. Aber die Tatsache,
dass jemand paranoid ist, heißt noch lange nicht, dass
die anderen nicht wirklich hinter ihm her sind!

Was den Islam betrifft, mag er in seinem jetzigen Zustand alles Mögliche sein, nur eines ist er meines Erachtens gewiss nicht: Er ist nicht mächtig. Er ist im Gegenteil schwer erkrankt und befindet sich sowohl kulturell
als auch gesellschaftlich auf dem Rückzug. Die religiös
motivierte Gewalt, die zunehmende Islamisierung des
öffentlichen Raums und das krampfhafte Beharren auf

der Sichtbarkeit der islamischen Symbole sind nervöse
Reaktionen dieses Rückzugs. Der Vormarsch des Islamismus ist bloß eine aufgeregte Mobilisierung und, wie
Spengler schreibt: »Wehe denen, die die Mobilmachung
mit dem Sieg verwechseln.« Es sind klare Zeichen des
Mangels an Selbstbewusstsein und Handlungsoptio-
nen. Es handelt sich nur um das verzweifelte Anstrei-
chen eines Hauses, das kurz davor steht, in sich zusam-
menzustürzen. Aber auch der Zusammenbruch eines
Hauses bleibt gefährlich, und das nicht nur für seine
Bewohner.

Aus der Geschichte lernen wir zwar, dass eine Kultur
nicht durch Prinzipien, sondern durch eine noch jüngere, überlegene Kultur abgelöst wird und dass die ehrgeizigen, kampflustigeren »Barbaren« immer am Ende
gegen die dekadenten, kampfmüden »Zivilisierten« sie-
gen. Spengler nennt das Prinzip »Blut« als maßgebend
für die Mobilisierung der Kämpfer, bei Ibn Khaldun ist
es *asabiyya*, das bedeutet »Stammesbewusstsein«. Beide Begriffe können durch die »Religion« wenn nicht
ersetzt, so doch ergänzt werden. Blut, Stammesbewusstsein, Religion: Dem mögen die satten, von der Zivilisation verwöhnten Bewohner der großen Städte nichts
entgegenzusetzen gehabt haben in Zeiten, als Kriege
und territoriale Konflikte in offener Feldschlacht, im
Kampf Mann gegen Mann, Heer gegen Heer entschieden wurden.
　　Doch im Zeitalter der Globalisierung, des Internets,
der Nanotechnologie und der schmutzigen Bombe
können uns die Geschichte und die Geschichtsphiloso-

phie nur bedingt weiterhelfen. Sie können uns zeigen,
wo wir jetzt stehen und warum wir da stehen. Doch
über die Zukunft der Kulturen können sie nur vage
Hinweise geben. Deshalb interessierte mich beim zweiten Lesen des »Untergangs des Abendlandes« weniger
die Prognose an sich als die Analyse des Wegs.

Der Logik der Geschichte folgend, hätte die islamische Kultur spätestens nach dem Zusammenbruch des
Osmanischen Reiches in den zwanziger Jahren des
zwanzigsten Jahrhunderts von der Erdoberfläche verschwinden müssen. Nach der Abschaffung des Kalifats
deutete alles darauf hin, dass die Idee des Gottesstaats
durch die des modernen Nationalstaats endgültig ersetzt würde, so dass alte patriarchalische Herrschaftsmuster keine Chancen mehr hätten. Doch die Gründung der Muslimbruderschaft in Ägypten im Jahr 1928
und die Entdeckung des Erdöls in Saudi-Arabien kurze
Zeit danach reichten offenbar aus, um das Verschwinden des Islam aufzuhalten. Das unerwartete Geld, die
Privatisierung des Dschihad und das Florieren des radikalen Wahhabismus schienen dem politischen Islam
einen gewaltigen neuen Schub gegeben zu haben. Oder
sollten diese Ereignisse nichts anderes als die künstliche
Beatmung einer Kultur gewesen sein, die ihren Zenit
längst überschritten hatte und bereits im Sterbebett
lag?

Über die Zukunft der islamischen Welt zu sprechen
ist nicht weniger leicht, als Gewissheit etwa über den
Klimawandel zu erlangen. Wir können beobachten,
dass sich große Teile der islamischen Welt vom weltlichen Wissen drastisch distanzieren und eine unver-

söhnliche Haltung zum Geist der Moderne einnehmen. Ferner, dass der Fundamentalismus und das Ressentiment gegenüber dem Westen geschwürartig wachsen und ihren furchtbaren Ausdruck finden in Gewalt und Ausgrenzung. Gleichzeitig laufen bei jungen Muslimen Individualisierungsprozesse ab, die exzessiv das Internet nutzen und, je nach finanzieller Situation, ebenso exzessiv moderne Verbrauchsgüter konsumieren und den alten traditionellen Strukturen nicht mehr vertrauen. Diese unterschiedlichen, parallel ablaufenden, sich wechselweise bedingenden und beeinflussenden Entwicklungen können sowohl in Demokratisierung als auch in Massenfanatismus und Gewalt münden. Es kommt darauf an, auf welche Infrastrukturen die abgekapselten Individuen treffen.

In Ländern wie dem Iran und Ägypten gedeihen sowohl die radikalen Formen des Islam als auch die Bemühungen junger Menschen, sich von diesen Formen zu befreien. Die Fronten sind verhärtet wie noch nie, und eine bittere Konfrontation ist unausweichlich. Der von Samuel Huntington beschworene »Kampf der Kulturen« ist längst Wirklichkeit geworden. Er findet nicht nur zwischen dem Islam und dem Westen statt, wie viele vermuten, sondern auch innerhalb der islamischen Welt zwischen Individualisierung und Konformitätsdruck, zwischen Kontinuität und Innovation.

Eine politische Reform sowie eine Reform des Islam liegen jedoch in weiter Ferne, da die Bildungssysteme immer noch für Loyalität statt für freies Denken werben. Mangel an Produktivität und eine wachsende Unzufriedenheit der Bevölkerung über die verfahrene politische und wirtschaftliche Situation bescheren den radikalen Islamisten immer mehr Zulauf. Selbst in den finanziell bessergestellten Golfstaaten wird gesellschaftliche und politische Öffnung als Einführung der modernsten Konsumgüter verstanden, nicht als Erneuerung des Denkens.

Insbesondere am Golf sind die Gesellschaften immer noch tief patriarchalisch geprägt, auch wenn sie sich durch ein zartes, modernes Feigenblatt zu tarnen suchen. In vielen islamischen Ländern werden Frauen zwar zur Bildung zugelassen, aber oft zugleich daran gehindert, ein selbstbestimmtes Leben zu führen. Die sogenannten Reformer des Islam trauen sich nach wie vor nicht an die elementaren Probleme der Kultur und der Religion heran. Reformdebatten werden zwar häufig angestoßen, aber nie zu Ende geführt. Kaum jemand fragt sich: »Gibt es möglicherweise einen Geburtsfehler in unserem Glauben?«

Alle Fragen der Reform beginnen beim Koran und zerbrechen am Ende an diesem erratischen Block der islamischen Kultur. Reformer und Konservative sind nach wie vor vom heiligen Text besessen. Während die einen in ihm die Grundlage für einen Gottesstaat sehen, suchen die Reformer nach positiven Passagen in ihm, die für das moderne Leben taugen. Man schraubt am Vers rum, bis er irgendwie zu den Umständen der heutigen Gesellschaft passt. Kein Mensch traut sich zu fragen, wozu wir den Koran heute brauchen. Keiner wagt den postkoranischen Diskurs. Denn immer wenn die Reformdebatte ernst zu werden droht, werden die alten Ressentiments gegen den Westen durch politische

Manipulationen aufgewühlt, um die Reformkräfte als fünfte Kolonne des Abendlandes zu diffamieren und sie dadurch leicht zu diskreditieren oder zu entsorgen. Angst vor Sanktionen, die im schlimmsten Fall mit dem eigenen Tod enden können, halten viele davon ab, in ihren Forderungen weit zu gehen.

Vom Koran scheine auch ich besessen zu sein und will deshalb zeigen, wie sogar ein Zitat aus dem Koran die islamische Welt durch eine einfache Logik zum Untergang verurteilt. In Sure 13:17 steht geschrieben:

> »Er (Gott) sendet Wasser vom Himmel herab, so dass die Täler durchströmt werden, und die Flut bringt den Schaum auf der Oberfläche. Und ein ähnlicher Schaum ist in dem, was sie im Feuer aus Verlangen nach Schmuck und Gerät erhitzen. So verdeutlicht Gott Wahrheit und Irrtum. Der Schaum aber, der vergeht wie die Blasen; das aber, was den Menschen nützt, bleibt auf der Erde zurück. Und so prägt Gott die Gleichnisse.«

Selbst der Koran legt nahe, dass das, was der Menschheit nicht nutzt, am Ende von der Erde verschwinden muss.

Mir wurde einmal die mich in Verlegenheit bringende Frage gestellt, was die Welt vermissen würde, sollten die islamischen Staaten allesamt verschwinden. Mir fiel nichts ein außer Erdöl und ein paar schönen Urlaubszielen und vielleicht die Angst vor dem Terror, die manche Leute kitzelt. Darunter würden vermutlich nur die

Hersteller von Luxuskarossen leiden, deren beste Kunden in den Golfstaaten leben.

Ja, die Frage darf gestellt werden, was die gegenwärtige islamische Welt hinterlässt, das der Menschheit zugutekommt. Was sind die Beiträge der islamischen Welt auf dem Gebiet des weltlichen Wissens, der Kunst, der Architektur, um nur drei Bereiche zu nennen? Diese Frage ist leicht mit »wenig« oder »gar nichts« zu beantworten. Warum fällt es denn vielen schwer zu erkennen, dass die islamische Kultur ihren zivilisatorischen Zenit schon längst überschritten hat und nicht mehr imstande ist, sich in die Weltgemeinschaft einzuordnen? Was von der islamischen Geschichte des Denkens übrig geblieben ist, ist meines Erachtens der intellektuelle Schaum einer unversöhnlichen Orthodoxie, und der kann nicht länger in der modernen Welt bestehen. Ein letztes Mal wird der Schaum mit dem Mut der Verzweiflung mit seiner Wut die Oberfläche überziehen, bevor er verschwindet.

Mit diesem Buch versuche ich zu verstehen, wie es zum Zerfall des Islam kam und was es bedeutet für die Welt von heute, wenn so ein schwerer Körper in ihrer Mitte zusammenbricht, denn dieser Niedergang betrifft uns alle. Hier darf zu Recht die Behauptung auftauchen, die islamische Welt als solche gebe es nicht, denn über eine Milliarde Menschen zwischen Indonesien und Marokko als gleichgeschaltete Masse zu betrachten ist schlicht und ergreifend anmaßend. Das ist richtig, wenn wir die islamische Welt als eine geographische, theologische oder politische Einheit sehen, doch es geht in diesem

Buch um die islamische Welt als ein imaginäres Konstrukt namens *Umma*, das als Gemeinschaft alle Gläubigen umfassen sollte; ein Traum, der die Ambitionen
des politischen Islam seit seiner Geburt beflügelt. Es
geht um die Geisteshaltung vieler Muslime zur Moderne; es geht um den Islam als eine politische Idee, die
inzwischen die Substanz verloren und kaum Antworten auf das Weltgeschehen außer Wut und Gewalt parat
hat. Um diese islamische Welt geht es.

Gibt es den *einen* Islam? Eine Frage, die oft hinterhäl-
tig gestellt wird, um Islamkritik im Keim zu ersticken.
Selbstverständlich ist der Islam in seinen Strömungen
und Ausprägungen sehr heterogen, dennoch kann man
von *einem* Islam sprechen. Denn diese Unterschiede
mögen für Theologen und Ethnologen von Interesse
sein, politisch gesehen sind sie allerdings ziemlich irre-
levant. Wenn wir vom Islam sprechen, meinen wir nicht
volkstümliche Erscheinungsbilder, sondern meist die
politische Ideologie, die Geisteshaltung, die dem Glaubenssystem Islam zugrunde liegt.
      Wenn Muslime selbst von Islam sprechen, wenn es
etwa um die Einführung von Islamunterricht an europäischen Schulen oder die Beantragung des Status einer
Körperschaft des öffentlichen Rechtes geht, ist die Rede
von *einem* Islam. Wenn Muslime von der »Religion des
Friedens« sprechen, sagen sie nicht, welchen Islam sie
damit meinen, aber wenn Islamkritik auftaucht, kommt
ein Taschenspielertrick, um die Kritik abzuwürgen:
Von welchem Islam reden Sie überhaupt?
      Von welchem Alkohol reden wir denn, wenn wir sa-

gen: »Viel Alkohol schadet der Gesundheit und führt zu Alkoholismus«? Ja, Alkohol wird zur Herstellung von Medizin oder zum Kochen verwendet, doch diese Funktionen stehen nicht zur Debatte, wenn wir von den sozialen Auswirkungen von Alkohol reden. Und Islam ist für mich mit Alkohol vergleichbar. Wenig davon kann sehr heilend und inspirierend wirken, aber wenn der Muslim in jeder Lebenssituation zur Flasche der Dogmen greift, dann wird es gefährlich. Von diesem hochprozentigen Islam rede ich, denn er schadet dem Individuum und gefährdet das Zusammenleben.

Selbstverständlich können Länder wie die Türkei, Indonesien und Malaysia nicht mit der arabischen Welt gleichgesetzt werden. Die Lage in diesen drei Ländern gilt oft als Hoffnung für die Demokratisierung in der gesamten islamischen Welt, da sie sich in den letzten Jahren in der Bildung und der Wirtschaft gut entwickelt haben. Auch Anfänge einer relativ fortschrittlichen islamischen Theologie sind in diesen Ländern zu beobachten. Doch der Einfluss dieser Länder auf den Rest der islamischen Welt in den Bereichen Bildung und Theologie ist leider marginal. Umgekehrt ist der Einfluss von Saudi-Arabien und Ägypten auf die Türkei, Indonesien und Malaysia ganz erheblich, was zur zunehmenden Rückbesinnung auf den Islam und einer deutlichen Zurücknahme vieler demokratischer Prozesse auch dort führt.

Besonders in der arabischen Welt muss man sowohl die regionalen als auch die globalen Perspektiven als bedrohlich empfinden. Eine rapide wachsende arme, unterdrückte und wenig gebildete Bevölkerung, zur

Neige gehende Erdölvorkommen und drastische kli-
matische Veränderungen, die große Anbauflächen vernichten, bedrohen die wirtschaftliche Grundlage dieser
Länder und verschärfen die bereits vorhandenen regionalen und religiösen Konflikte. Dies kann dazu führen,
dass der Staat zunehmend an Einfluss verliert, was zur
Privatisierung der Gewalt führen würde. Die Bürgerkriege in Afghanistan, Irak, Algerien, Somalia und im
Sudan sind nur ein furchtbarer Anfang dessen. Die
geistige und die materielle Erstarrung veranlasst mich
zu der Prognose: Die islamischen Staaten werden zer-
fallen, der Islam wird als eine politische und gesellschaftliche Idee, er wird als Kultur untergehen.

Vergleicht man die arabisch-islamische Welt heute mit
der »Titanic« kurz vor dem Untergang, so stößt man
auf Parallelen. Das Schiff steht einsam und gebrochen
mitten im eiskalten Ozean der Neuzeit und weiß nicht,
woher die Rettung kommen soll. Die Passagiere der
dritten Klasse schlafen weiterhin in ihrem Kerker und
ahnen noch nichts von der sich anbahnenden Katastrophe. Die Reichen machen sich in den wenigen Ret-
tungsbooten aus dem Staub und wollen sogar an der
Misere verdienen, während Geistliche die üblichen
Durchhalteparolen wiederholen. Die sogenannten Islamreformer erinnern mich an das Salonorchester, das
bis zum Untergang weiterspielte, um den Passagieren
die Illusion einer Normalität zu vermitteln. Sie spielen
die Reformmelodie und wissen, dass sie sowieso niemand mehr hört.
   Ein wesentlicher Unterschied allerdings fällt ins

Auge: Das islamische Schiff war von vorne herein ver-
altet und voller Löcher, und dennoch galt es für viele
Muslime als unsinkbar, weil sie in ihrem Segeln einen
göttlichen Auftrag sahen. Das schwere Schiff driftete
Jahrhunderte im Meer ohne Kompass und ohne Orientierung. Weil es nicht wusste, wohin es wollte, war kein
Wind ihm recht. Kein heftiger Zusammenprall, sondern
eine leichte Berührung mit dem Eisberg namens Moderne reichte aus, um das islamische Schiff aus dem
Gleichgewicht zu bringen. Erst mit dem Auftauchen
des überlegenen »Anderen« sind Muslime auf die eigene Schwäche aufmerksam geworden. Trotzdem verhin-
derten Stolz und Eigensinn die Erkenntnis, dass eine
Veränderung not-wendig ist.

Die islamische Welt hat meines Erachtens ihr kultu-
relles und zivilisatorisches Konto überzogen und lebt
sträflich über ihre Verhältnisse. Wäre der Islam eine
Firma, dann wäre er längst pleitegegangen. Was der Islam nun braucht, ist eine geregelte Insolvenz, eine In-
ventur, durch die die islamische Welt sich endlich von
vielen Bildern trennen muss: Gottesbilder, Gesell-
schaftsbilder, Frauenbilder, Vor- und Feindbilder.

Sowohl der britische Orientalist Bernard Lewis als
auch der deutsche Orientalist und Historiker Dan Diner sehen das Hauptproblem des Islam in der Natur
des Heiligen, das alle Bereiche des Lebens unterwandert. Auch die Natur der arabischen Sprache, die am
Text des Korans und seiner Konnotation hänge, er-
schwere jede Bemühung der Säkularisierung, so Diner.
Dies habe die islamische Welt zum jetzigen Stillstand

geführt, den er »versiegelte Zeit« nennt. Ähnlich argumentiert der im Exil lebende syrische Dichter Adonis, beschränkt seine These jedoch auf die arabische Welt. Die Tatsache, dass in den arabischen Staaten Kultur nur staatlich bürokratisch betrieben wird, dass die arabische Sprache sich nicht erneuert und dass die arabische Welt aus Mangel an Kreativität der Menschheit nichts mehr zu bieten hat, veranlasst Adonis zur Prognose, dass die Araber bald wie die alten Ägypter, Griechen und Römer Geschichte sein werden.

Emmanuel Todd und Youssef Courbage erwarten dagegen, dass der Islam sich rasch modernisieren wird. Die beiden Statistiker und Verfasser des Buchs »Die unaufhaltsame Revolution«, das im französischen Original »Le rendez-vous des civilisations« heißt, studierten die Demographie der islamischen Welt und stellten fest, dass es zu immer mehr Alphabetisierung unter jungen muslimischen Männern und Frauen kommt, was wiederum zu einem Rückgang der Geburtenraten führt. Diese Veränderung führe zu einer neuen sozialen Mobilität, die sowohl für Erneuerung als auch für Fundamentalismus verantwortlich sei. Die Schlussfolgerung der Autoren lautet: Die Werte der Moderne verändern die islamische Welt.

Mein Buch »Der Untergang der islamischen Welt« bietet weder eine historische noch eine soziologisch-empirische Studie. Auch wenn die Geschichte des Zerfalls und die gesellschaftliche Dynamik von heute bei der Lektüre eine zentrale Rolle spielen, bleibt das Buch eine persönliche Analyse und eine Einschätzung der

Entwicklungen in den Teilen der islamischen Welt, die ich kenne, nämlich den arabischen Staaten. Deshalb steht mein Geburtsland Ägypten im Mittelpunkt der Analyse, das ich nach wie vor als Mikrokosmos und Trendsetter in der islamischen Welt sehe, wenn es um Modernisierung oder Radikalisierung geht. Gesellschaftliche Prozesse und Fehlentwicklungen, die zum Reformstau führen, werden in den historischen, religiösen und politischen Kontext gestellt und analysiert. Das aus dem Koran abgeleitete Gottes- und Menschenbild sowie das Verständnis von Hierarchie und Ehre und deren Einfluss auf das Bildungssystem sowie auf die Selbst- und Fremdbilder werden Gegenstand der Diskussion sein.

Mir geht es weder darum, um Mitleid mit dem Patienten Islam zu werben, noch gegen ihn zu polemisieren, sondern darum, auf wenig beleuchtete Facetten der Problematik aufmerksam zu machen.

Pulverfass Geschichte oder: Nimm mir meinen Sündenbock nicht weg!

Einer meiner liebsten Orte in München, wo ich derzeit lebe, ist der Olympiapark. Besonders zum Olympiaberg habe ich eine eigenartige Beziehung entwickelt, gleichsam eine Form des interkulturellen Dialogs. Der Olympiaberg ist kein eigentlicher Berg, sondern ein von Menschenhand aufgehäufter Hügel. Er ist gestaltet, angelegte Wege führen zum Gipfel, von dem aus sich ein herrlicher Blick über München öffnet. Doch erzählenswert daran ist weniger die Aussicht als die Entstehungsgeschichte des Olympiabergs. Denn der Hügel wurde auf einem ehemaligen Artillerieschießübungsplatz und Exerziergelände aus den Trümmern der im Zweiten Weltkrieg zerstörten Münchner Häuser aufgeschüttet; eine Geschichte, wie sie jede größere deutsche Stadt kennt, die mir zeigt, was »Zivilisation« bedeutet.

Ich lese immer wieder neue und alte Definitionen von »Zivilisation«, die für mich kaum zufriedenstellend sind, weil sie oft »Zivilisation« mit »Kultur« verwechseln oder »Zivilisation« nur auf Urbanität, entwickelte Systeme von Transport, Vermessung und Schrift beschränken. Auch wenn Oswald Spengler zwischen Kultur und Zivilisation unterscheidet, bleibt seine Vorstellung von Zivilisation, als der stagnierenden End-

phase einer Kultur, fragwürdig. Derartige Begriffsbe-
stimmungen konzentrieren sich auf materielle Errungenschaften oder Erscheinungsbilder einer Kultur und
vernachlässigen, allerdings mit Ausnahme von Spengler, die Geisteshaltung, das Geschichtsbewusstsein, die
Selbstwahrnehmung und die Vorbilder, die eine Kultur
besitzt, und die ich als das Herzstück einer Zivilisation
ansehe. Ich ziehe es vor, die Zivilisation als immerwäh-
rende Neuverhandlung und Neuerfindung einer Kultur zu sehen.

Auf dem Gipfel des Münchner Olympiabergs ste-
hend, habe ich meine eigene Definition von »Zivilisation« formuliert als

> »die Fähigkeit einer Kultur, etwas Hässliches in
> etwas Ästhetisches zu verwandeln. Zivilisation ist
> die Fähigkeit zur Transformation und zur Ent-
> waffnung der eigenen Geschichte.«

Nach dem Krieg hätten die Deutschen auf den Ruinen
ihrer Städte jahre- und jahrzehntelang weinen und diejenigen verfluchen können, von denen sie bombardiert
worden waren. Stattdessen erkannten sie, dass das Un-
glück zum größten Teil selbstverschuldet war und dass
Jammern nichts bringen würde. Sie fingen an, mit ihren
früheren Feinden zusammenzuarbeiten, um das eigene
Land wiederaufzubauen. Die Erinnerung an die Ge-
schehnisse des Krieges dient nicht dazu, Ressentiments
gegen die einstigen Kriegsgegner zu schüren, sondern
um zum Frieden zu mahnen.

Vor einigen Jahren forderte der ägyptische Schriftsteller Hamdy Abu-Golayyel die islamische Welt auf, nach dem Vorbild Deutschlands und Japans vor dem Westen zu kapitulieren und einen neuen Anfang zu wagen. Er meinte, die Kultur des Stolzes und des Widerstandes während und nach dem Kolonialismus hätte den Muslimen nichts außer Energieverlust und Rückständigkeit gebracht.

Zahlreiche Kommentare, vor allem aus den Reihen der linken Intellektuellen, attackierten Abu-Golayyel und lehnten den Vergleich mit Japan und Deutschland strikt ab. Einer von Ägyptens berühmtesten Literaten, *Khairy Shalaby*, sagte, Abu-Golayyel sei sogar »schlimmer als alle Zionisten«. Im Gegensatz zu Japan und Deutschland, von denen die Aggression ausgegangen war und die imperialistische Ziele verfolgt hatten, sahen die arabischen Intellektuellen die islamische Welt in ihrem Kampf um den Irak und Palästina eher in der Position Frankreichs, als es vom nationalsozialistischen Deutschland besetzt wurde. Der französische Widerstand, die Resistance, würde während und nach dem Krieg von allen Seiten gewürdigt. Noch ein Argument aus arabischer Sicht gegen diesen Vergleich lautete: Der Wiederaufbau Japans und Deutschlands sei mit Hilfe der Alliierten erfolgt, die dies allein aus Angst vor dem kommunistischen Einfluss in Europa und Asien getan hätten. Hätte die Sowjetunion keine Ansprüche auf diese Staaten angemeldet, wären Deutschland und Japan heute vermutlich nur rückständige Agrarstaaten.

Der Vergleich mit Deutschland und Japan mag im Kern nicht passend sein, blicken wir also nach Taiwan. Während der japanischen Invasion wurde die Insel

verwüstet, Tausende Frauen vergewaltigt, zahllose
Menschen getötet. Nur die Staatliche Universität von
Taiwan, die die Japaner selbst 1928 aufgebaut hatten,
blieb stehen, als die Japaner das Land verließen. Aus
Verbitterung und als Trotzreaktion hätten die Taiwanesen diese Universität sprengen oder schließen
können, um an die Greueltaten der Japaner nicht erinnert werden zu müssen. Dennoch entschieden sie
sich dafür, die Universität nicht nur zu erhalten, sondern auch zu entwickeln. Stück für Stück bauten die
Taiwanesen, ohne fremde Hilfe, ihr Land wieder auf.
Bildung war das Rückgrat dieses Prozesses, die von
Japanern errichtete Universität und aus dem Japanischen übersetzte Schriften waren dafür wesentlich. Im
Jahre 2008 stand die Staatliche Universität von Taiwan
in der Rangliste der Eliteuniversitäten der Welt sogar
vor den größten japanischen Universitäten. Mit einem
pragmatischen Geschichtsbewusstsein gelang es einem
kleinen Volk, den früheren Meister und Unterdrücker
beinahe zu überholen. Heute arbeiten Japan und Taiwan sowohl wirtschaftlich als auch kulturell sehr eng
zusammen.

Für viele muslimische Intellektuelle, egal ob religiös
oder linksorientiert, dient das Argument, durch den
europäischen Kolonialismus in der eigenen Entwicklung unterbrochen und zurückgeworfen worden zu
sein, als gewichtigste Ausrede für die Rückständigkeit
der islamischen Welt: Die westlichen Mächte hätten die
kolonialisierten Länder wie Toiletten benutzt und ließen sie in einem erbärmlichen Zustand zurück, sogar
ohne die Toilettenspülung zu betätigen. Dies mache

Wiederaufbau und Reform beinahe unmöglich. Das drastische Bild zeigt die Selbstwahrnehmung vieler Muslime und wie sehr ihr Geschichtsbewusstsein von Verbitterung und Ressentiment geprägt ist.

Den Münchner Olympiaberg und die Universität von Taiwan sehe ich als zwei Bilder für die Transformation und die Neutralisierung der Geschichte an; der islamischen Welt gelang es nicht, einen ähnlichen Prozess zu verwirklichen, weil man sich anscheinend in den Trümmern der eigenen Geschichte wohl fühlt.

Wer einen Blick in aktuelle arabische Schulbücher wirft, wird sofort erkennen, wie verzerrt und einseitig Geschichte gelehrt wird: ein Spagat zwischen einer fehlerfreien, glorreichen islamischen Geschichte, die nur Humanismus und Blütezeiten kannte, und einer reinen Opferrolle in der Gegenwart.

Im ersten Abschnitt des aktuellen Geschichtsbuchs für die Sekundarstufe in Ägypten werden in selbstverherrlichender Weise die Errungenschaften der arabischen und islamischen Kultur geschildert, gefolgt von einem Kapitel, das darlegt, weshalb die moderne europäische Zivilisation eigentlich gar nicht europäisch sei, sondern in den Bereichen Medizin, Philosophie, Mathematik und Literatur alles den Muslimen zu verdanken habe. Das nächste Kapitel listet auf, was die glorreiche islamische Kultur geschwächt hat: Die mittelalterlichen Kreuzzüge verdeutlichen die Brutalität des Westens; pathetisch wird beschrieben, wie die Kreuzfahrer Jerusalem eroberten und jeden Muslim, der ihnen in die Quere kam, ermordeten.

Die Schulbuchszene der Erstürmung der Al-Aksa-Moschee durch die christlichen Eroberer gleicht einem Horrorfilm. Muslime verstecken sich in der Moschee vor den erbarmungslosen christlichen Kriegern. Diese aber dringen in die Moschee ein und töten alle – Männer, Frauen und Kinder. Siebzigtausend Menschen sollen allein in der Moschee ihr Leben gelassen haben, den Eroberern soll das Blut an den Knien gestanden haben. Abgesehen von der Frage, ob sich diese Szene in Wirklichkeit so abgespielt hat, ist ihre Plazierung an dieser Stelle des ägyptischen Schulbuchs außerordentlich tendenziös. Und suggestiv ist die erste Frage, die den Schülern in den Übungen zu diesem Thema gestellt wird: »Womit erklären Sie die Brutalität der Kreuzzügler, als sie die Moschee erstürmten?« Interessant ist, dass die arabische Bezeichnung für Kreuzfahrer, *salibiyyeen* (Die-mit-dem-Kreuz), eine neue ist. Während der Zeit der Kreuzzüge selbst (1096–1291) nannte man sie lediglich *ferenca*, also die Franken. In der modernen islamischen Geschichtsschreibung legt man viel Wert darauf, die Geschichte des Kampfes zwischen Ost und West religiös zu deuten und zu überhöhen.

Die Erstürmung einer Moschee durch die Ungläubigen spielt auch im nächsten Abschnitt des ägyptischen Geschichtsbuchs eine wichtige Rolle. Es handelt sich um den Ägyptenfeldzug Napoleons (1798–1801), in dessen Verlauf französische Truppen die Al-Azhar-Moschee in Kairo stürmten und dabei ägyptische Verteidiger töteten.

Das nachfolgende Kapitel handelt vom Kolonialismus, der die islamische Welt ihrer Ressourcen beraubte und sie in der kulturellen Entwicklung um Jahrhunderte zurückwarf.

Dann geht es im letzten Kapitel um die Gründung Israels als Ergebnis einer westlichen Verschwörung und als Fortsetzung des Imperialismus in der islamischen Welt. Über die Geschichte der europäischen Juden in Mittelalter und Neuzeit erfahren die ägyptischen Sekundarschüler, dass diese sich in den europäischen Städten in Ghettos zurückgezogen und ein Vermögen angesammelt hätten, bevor sie den Zionismus gründeten. Antisemitismus und Holocaust werden in diesem offiziellen Schulbuch mit keinem Wort erwähnt. Ägyptische Juden, die über Jahrhunderte hinweg und bis zur Gründung Israels im Land lebten und nicht wenig zu den kulturellen Errungenschaften Ägyptens beigetragen haben, finden ebenfalls keine Erwähnung.

Die Schulbuchautoren waren darum bemüht, sämtliche Informationen und Aspekte zu unterdrücken, die geeignet wären, Interesse an, Sympathie für oder Mitgefühl mit Juden entstehen zu lassen, was die Homogenität des Feindbilds von Israel trüben könnte. Man fragt sich, wie sähe die islamische Geschichte ohne »die anderen« aus, ohne die Feinde, quasi die innere Geschichte der islamischen Welt?

Die Abfolge der Kapitel im Schulbuch ist bemerkenswert: Zunächst werden die kulturellen Verdienste der Araber dargelegt und die Art und Weise, wie die Europäer vom arabischen Wissen profitiert haben. Darauf folgt die Schilderung dessen, was Europa dem Islam angetan hat, vor allem die Zerstörung und die Entweihung der Heiligtümer. Die eigenen Versäumnisse und

Aggressionen und Eroberungskriege des Islam werden entweder übergangen oder als rechtmäßige Kriege zur Erleuchtung der heidnischen Völker durch die islamische Lehre dargestellt. Die Kriege, die man selbst anzettelte, nennt man *fath,* also Öffnung mit einem göttlichen Auftrag. Die Kriege der anderen nennt man *ghazw,* also Invasion. Das ägyptische Lehrwerk der Sekundarstufe räumt nur eineinhalb Seiten dem Überfall der Mongolen im 13. Jahrhundert ein, als Bagdad verwüstet wurde.

Obwohl diese Invasion, verglichen mit den Kreuzzügen, wesentlich brutaler war und weitreichende Folgen für den Zerfall der muslimischen Zivilisation hatte, findet sie kaum Beachtung. Die Zerstörung von Bibliotheken, die Vernichtung von Büchern, die Tötung vieler Denker und die Verschleppung begabter Handwerker nach Zentralasien, all das schwächte die islamische Kultur drastisch und leitete die Distanzierung des Islam von einer Kultur des Wissens ein und trug auch zum Wiedererwachen der Dschihad-Ideologie bei. Die Marginalisierung dieses mongolischen Überfalls im ägyptischen Schulbuch und darüber hinaus im offiziösen Geschichtsbild der meisten islamischen Staaten liegt daran, dass die Mongolen heute nicht mehr als Weltmacht existieren und den Muslimen nicht mehr in der Abgrenzung zur Schärfung der eigenen Identität zu dienen vermögen.

Wenig also über mongolische Aggressoren, dagegen findet man in dem gleichen Buch dreizehn Seiten über die brutalen Kreuzritter, die sich an Verträge nicht halten und kein anderes Ziel verfolgen, als Muslime zu töten und die Kontrolle über ihre heiligen Stätten zu erlangen. Der Prototyp des Europäers als rücksichtsloser Aggressor ändert sich nicht in der Behandlung des Kolonialismus, der vierzig Seiten in Anspruch nimmt und damit das umfangreichste Kapitel des Buches bildet. Die Schüler müssen den Eindruck gewinnen, der Europäer von heute sei der Kreuzritter im modernen Gewand, ihn interessierten nur Ausbeutung und Ausrottung aller, die nicht seiner Kultur angehörten. Zwischen dem letzten Kreuzzug im 13. Jahrhundert und Napoleons Ägyptenfeldzug Ende des 18. Jahrhunderts liegen allerdings 507 Jahre islamisch-europäischer Geschichte, die kaum Erwähnung in den Geschichtsschulbüchern finden. Darunter waren aber vierhundert Jahre osmanischer Herrschaft in der arabischen Welt, und diese werden nicht als eine Epoche des Kolonialismus betrachtet, obwohl die Osmanen mehr zur Rückständigkeit der arabischen Welt beigetragen haben als die europäischen Kolonialmächte.

Die Osmanen und ihre Herrschaft in der arabischen Welt werden im ägyptischen Schulbuch für die Sekundarstufe am Rande abgehandelt. Das liegt daran, dass die Osmanen Muslime waren. Die Umschlagabbildung dieses Geschichtsbuches zeigt, wie und gegen wen man die eigene Identität ausprägt: Rechts im Bild Kairos größte Moschee, gegenüber keine Kirche, obwohl Ägypten eine lange christliche Geschichte hatte und auch heute zehn Prozent der Ägypter christliche Kopten sind. Anstelle der Kirche ist das Gebäude der Suezkanal-Hauptverwaltung abgebildet, jenes Kanals, der für jahrzehntelange Konflikte zwischen Ägypten,

Frankreich und England sorgte. Unten links ist Saladin,
der Bezwinger der Kreuzritter, gefolgt von der islamischen Armee, die die grüne Fahne des Propheten trägt,
zu sehen; gegenüber eine Szene aus dem Jom-Kippur-
Krieg gegen Israel: Soldaten hissen die ägyptische Fahne auf der Halbinsel Sinai. In der Mitte die Profile von
Religionsführern, Nationalhelden und Generälen, die
gegen die Kolonialherrschaft kämpften. Das größte
Profil gehört naturgemäß dem jetzigen Präsidenten
Mubarak, der seine einzige Legitimität aus seiner Rolle
als Luftwaffengeneral im Jom-Kippur-Krieg 1973 zieht.
Die Umschlagcollage des Schulbuches ist für mich eine
symbolische Verdichtung der islamischen Identität:
überladen von Legenden, Konflikten und aufgeblase-
nen Kultfiguren. Obwohl der Titel des Buches »Die
islamische Kultur und die Geschichte der Araber«
heißt, stehen nicht die Denker und Wissenschaftler,
sondern die Krieger und die religiösen Würdenträger
im Mittelpunkt.

Merkwürdig ist, dass die meisten Herrscher in der
islamischen Welt treue Verbündete des Westens sind.
Ihr diktatorischer Machtstil wird von den westlichen
Demokratien geduldet, teils erheblich protegiert, und
fast immer werden sie mit Waffen und Entwicklungs-
hilfe gestützt, damit sie die westlichen Interessen in ihrer Region verteidigen und dort für Stabilität sorgen –
weiß Gott, was damit gemeint ist. Den Rücken von der
westlichen Allianz gestärkt, gehen diese Despoten mit
ihren Regimegegnern oft brutal um, um eben jene »Stabilität« zu sichern. Gleichzeitig werden die Regime-
gegner als Spione des Westens tituliert und der Westen

in den Schulbüchern als der Grund für alle Übel dargestellt.

Nach dem 11. September 2001 wurden die arabischen Staaten allerdings von ihren westlichen Verbündeten unter Druck gesetzt, um die Schulbücher vom Hass gegen den Westen und gegen Andersgläubige zu befreien. In einem nicht durchdachten Aktionismus wurden in der Tat einige Lehrinhalte entfernt, die unmissverständlich zum Hass aufrufen, vor allem in Saudi-Arabien und in Ägypten. Neue Passagen, die für das friedliche Zusammenleben zwischen den Völkern plädieren, wurden eingefügt, ohne jedoch die Grundhaltung der Schulbücher zu verändern. Es blieben viele problematische Passagen stehen, weil sie auf Koranpassagen oder Aussagen des Propheten basieren.

Beim oben ausführlich zitierten ägyptischen Geschichtsbuch handelt es sich bereits um die mildere, reformierte Fassung. Deshalb wirken die Lerninhalte oft widersprüchlich und unglaubwürdig. Diese Widersprüchlichkeit bis hin zu einer Schizophrenie ist überall in der islamischen Welt innerhalb und außerhalb der Schulen anzutreffen. Denn es geht nicht nur um die Geschichte, sondern um die Religion, die die Welt in Gläubige und Ungläubige teilt. Es geht auch um die geopolitische Lage und die materielle Unterlegenheit gegenüber dem Westen in allen Bereichen des Lebens, die dazu führt, dass den Muslimen nichts übrigbleibt, als sich gegen die seelenlose und aggressive Macht des Westens zu wehren. Dieser selbsterteilte Auftrag ist freilich keinesfalls legitimiert, denn Alternativen zum vermeintlich atheistisch kapitalistischen System des

Westens bieten die islamischen Staaten keineswegs. Im
Gegenteil, die Konsummentalität ist in vielen islamischen Staaten mittlerweile hässlicher ausgeprägt, weniger verschleiert als im Westen. Gerade in Saudi-Arabien
ist diese Schizophrenie am deutlichsten zu greifen: Auf
der einen Seite steht die washingtonfreundliche Ener-
giepolitik des Herrscherhauses, die Öffnung des Landes für alle westlichen Konsumwaren und für die US-
Marines, auf der anderen Seite steht eine menschenver-
achtende, wahhabitische Richtung des Islam, die alle
Bereiche des Lebens orthodox-religiös deutet und bestimmt. Die Integration eines nach außen hin westlichen Lebensstils, den man exzessiv lebt und offen-
kundig genießt und zugleich innerlich verachtet, macht
diese Schizophrenie explosiv. Kein Wunder, dass fünfzehn der neunzehn Attentäter des 11. September 2001
aus Saudi-Arabien stammten.

Nachdem der saudische Botschafter in Washington
die Lehrpläne seines Landes für hassfrei erklärte, unter-
suchte die »Washington Post« dies in einem Bericht im
März 2006 und stellte fest, dass die Religionsschulbü-
cher nach wie vor vom Islam als der einzig wahren Religion sprächen und dass in ihnen der Dschihad gegen
die Ungläubigen und Polytheisten als Pflicht eines
gläubigen Muslims dargestellt sei. Der Bericht listete
zahlreiche Beispiele für die nach wie vor hasserfüllten
Passagen in den Schulbüchern auf, darunter ein Beispiel
aus dem Buch der ersten Klasse:

»Ergänze folgende Sätze mit jeweils einem der
beiden Worte (Islam – Hölle): Jede Religion au-

ßer _____ ist falsch. Wer kein Muslim ist, landet in der _____.«

In dem »reformierten« Buch für die vierte Klasse ist zu lesen:

> »Der wahre Glaube bedeutet, dass du die Ungläubigen und die Polytheisten hasst und ihnen mit Härte begegnest.«
> »Wer die Lehre des Propheten befolgt und die Einigkeit Allahs bezeugt, darf keine Freundschaft mit Menschen pflegen, die gegen Allah und seinen Propheten sind, selbst wenn sie zu den nächsten Verwandten gehören.«

Aus dem Buch für die sechste Klasse:

> »Die Affen sind die Juden, die Leute des Sabbats, und die Schweine sind die Christen, die ungläubigen Anhänger Jesu.«

Die Elftklässler werden auf die Ideologie des Dschihad vorbereitet:

> »Kampf gegen Unglaube, Unterdrückung, Ungerechtigkeit und diejenigen, die sie verbreiten. Dies ist der Gipfel des Islam. Diese Religion ist durch den Dschihad entstanden und durch die Flagge des Dschihad aufgestiegen.«

Es ist ein Treppenwitz, wenn ausgerechnet das saudische System seine Schüler lehrt, dass Dschihad den
Kampf gegen Unterdrückung und Ungerechtigkeit bedeute – denn dies hieße für jemanden mit gesundem
Menschenverstand, dass das saudische System zum
Kampf gegen sich selbst aufruft. Aber in einem solchen
System, das die Wahrnehmung seiner Untertanen ver-
nebelt, ist kaum jemand imstande, die unfreiwillige
Pointe zu erkennen. Derartige Bücher werden nicht
nur in Saudi-Arabien als Lehrmaterial benutzt, sondern
auch in neunzehn europäischen Staaten, in denen sau-
dische Akademien existieren. Und selbst wenn einige
Inhalte aus Verlegenheit modifiziert werden, bleibt die
Geisteshaltung der Lehrer die gleiche, denn sie wurden
durch die alten Lehren beeinflusst.

Eine Untersuchung des Bildes des »Anderen« in den
jemenitischen Schulbüchern, die im Auftrag der Regierung 2009 in Sana vorgelegt und mittlerweile auf der
Webseite des Präsidentenamtes veröffentlicht wurde,
kommt zu dem Ergebnis, dass der »Andere« immer als
der gierige Feind in den Schulbüchern negativ gezeich-
net werde. Mit dem »Anderen« ist selbstverständlich
der Westen gemeint. Doch die Studie schließt mit der
Ausrede, dass dieses Bild auch als negative Reaktion
auf das negative Bild des Islam, das der »Andere« in
seinen Schulbüchern konstruiert, gelesen werden
kann.

Ein Blick in die jordanischen Schulbücher ergibt ein
ähnliches Bild. Der »Andere« wird immer als das moralische Gegenteil von »uns« dargestellt. Er ist alles,
was »wir« nicht sind und niemals sein dürfen. Natür-

lich wird auch auf einige positive Errungenschaften des Westens hingewiesen, doch Aufklärung und Demokratie werden überflogen. Die diktatorischen Regime errichten eine Barriere zwischen den Schülern und den demokratischen Systemen, die nicht als Vorbilder gedeutet werden sollen.

Das Schulbuch spiegelt einerseits das Denken einer Gesellschaft wider und andererseits die Idee, nach der die Machthaber ihre Untertanen formen möchten. Es ist ein Wechselspiel: Zunächst kommen die Informationen aus dem informellen Wissen und aus dem kollektiven Gedächtnis des Volkes, werden dann aber politisch verfeinert, damit sie ins Herrschaftssystem und seine Identitätspolitik hineinpassen. Dennoch darf man die Wirkung des Schulbuches nicht überschätzen, denn das soziale Umfeld des Lehrers, der Einfluss der Moschee und des Fernsehens sind wesentlich gravierender. Die Schulbücher sagen wenig über das Bild des anderen, dafür aber mehr über das herrschende Selbstbild in der islamischen Welt. Sie zeigen uns, wie eine Kultur sich selbst wahrnimmt und was sie der nächsten Generation mit auf den Weg geben will. Sie sind ein Spiegel des Ressentiments und der Ohnmacht, die die Beziehung des Islam zum Westen seit Generationen prägt.

Von Höhlen und Schatten
oder: Eine Kultur schämt sich, will es aber nicht zugeben

Platons Höhlengleichnis aus dem siebten Buch der »Politeia« trifft den seit mehreren Generationen beobachtbaren Zustand des Denkens in der islamischen Welt sehr genau. Eine Gruppe von Menschen, die seit ihrer Kindheit in einer Höhle so angebunden sind, dass sie nur die Höhlenwand vor sich sehen können. Hinter ihnen brennt ein Feuer, das Schatten auf die Wand wirft. So können die Menschen die Schatten ihrer selbst und das, was hinter ihnen geschieht, wahrnehmen. Wenn jemand hinter ihnen spricht, wirft die gegenüberliegende Wand die Worte zurück, weshalb die Menschen glauben, die Schatten sprächen zu ihnen. Die Kernfrage dieses Gleichnisses: Was würde geschehen, wenn diese Menschen sich von ihren Fesseln befreiten und umdrehen würden? Zunächst wären die Gefangenen vom Licht des Feuers geblendet und erschienen ihnen die Menschen und Gegenstände in der Höhle schemenhaft und irreal. Sie kehrten lieber zu ihrem vertrauten Schatten an der Wand zurück, um sich zu orientieren.

Jahrhundertelang isolierte sich der islamische Teil vom Rest der Welt, starrte auf den eigenen Schatten und dachte, das sei die Welt, bis der überlegene »Andere« auftauchte und die Höhle gewaltsam öffnete. Als Napoleons Flotte im Jahre 1798 in Alexandrien landete, kam es zu einer asymmetrischen Begegnung zwischen einer technisch überlegenen europäischen Macht und einer im Stillstand verharrenden arabischen Kultur. Zu diesem Zeitpunkt hatte der Islam als politischer Faktor kaum Bedeutung. Die Region wurde durch mamelukische Söldner regiert, und die Religion vermischte sich stark mit Aberglauben und Volksmythen. Trotzdem glaubten die Muslime auch damals, sie seien das Beste, was die Menschheit je hervorgebracht hatte, wie es im Koran steht.

Die Aufgabe der religiösen Institution Al-Azhar war lediglich, das Auswendiglernen des Korans voranzutreiben, religiöse Gutachten zu den alltäglichen Dingen zu erstellen und der Fremdherrschaft der Kriegsfürsten eine gewisse Legitimität zu verleihen. Eine Schule war an die Moschee angeschlossen, doch die große Mehrheit der Ägypter konnte weder lesen noch schreiben. Erst das Auftauchen des »Anderen« machte die Muslime auf die eigene Schwäche und Rückständigkeit aufmerksam. Aber es war kein Küsschen, das Dornröschen geweckt hätte. Das Auftauchen des »Anderen« hätte eher einem Tritt in den Hintern geglichen, wenn sich die besiegten Fellachen nicht geweigert hätten, die Ankunft der Franzosen als den Anbruch eines neuen Zeitalters zu sehen, und so zogen sie sich das Kopfkissen des eigenen Glaubens über die Ohren.

Fehlgeleiteten Modernisierungsversuchen des ägyptischen Herrschers Mohammad Ali Pascha folgten traumatische Erfahrungen mit Kolonialismus, Ausbeutung und Unterdrückung, die tief ins kollektive Gedächtnis aller Muslime eingraviert sind. Das Ergebnis ist eine

»anthropologische Wunde«, wie es der syrische Philosoph Georg Tarabishi nennt; eine chronische Kränkung,
die bis heute andauert. Immer provozierte die Begegnung der islamischen Welt mit dem Westen zwei unversöhnliche Prozesse: den Drang zur Öffnung und Modernisierung und die Rückkehr zum Glauben aus Angst,
dass sich alles durch die Öffnung auflöst. Und am Ende
gewannen immer die Traditionalisten, weil das Repertoire, auf das sie sich berufen, immer stabil und unangefochten blieb, nämlich der Koran und die Überlieferun-
gen des Propheten und die simple Unterteilung der Welt
in Gläubige, die alles richtig machen, und Ungläubige,
die nur Unheil bringen, wann immer sie auftauchen.

Die Orthodoxen hatten immer ein leichtes Spiel,
denn sie mussten lediglich die Situation auf null zu-
rückfahren und sich auf die Urgemeinde des Propheten
berufen. Die Renaissance des Glaubens und die Instru-
mentalisierung des Islam als politische Macht waren
während der Kreuzzüge und während des Kolonialismus deutlich zu spüren. In Zeiten der Unruhe sucht
eine Gemeinschaft nach einem kulturellen Repertoire,
mit dem sie die eigenen Leute mobilisiert. Da der Islam
im Laufe der Jahrhunderte kaum Nebenidentitäten zu-
ließ, blieb er am Ende die einzige Macht, auf die sich
eine in die Defensive gedrängte Kultur beruft, um die
eigene Scham zu verstecken. Aus Scham wird Angst.
Aus Angst Glaube. Aus der Not eine Mission.

In seinem großen Werk »Das Sein und das Nichts«
erklärt Jean-Paul Sartre das Moment des Auftretens des
»Anderen« als die Entdeckung der eigenen Scham. Er
findet das einprägsame »Schlüssellochgleichnis«, das so

auch auf die islamische Welt zutrifft: Ein Mensch beobachtet durch ein Schlüsselloch andere. Als er erwischt wird, schämt er sich. In seinem bekanntesten Drama, »Geschlossene Gesellschaft«, pointiert Sartre den Gedanken von den »Anderen«: »Die Hölle, das sind die anderen. (...) Ich begreife, dass ich in der Hölle bin. Alle Augen auf mich gerichtet; diese Blicke, die mich auffressen.« Sartres Scham gleicht einem Sündenfall, dessen Peinlichkeit der Fremde mit seiner Beobachtung erst peinlich macht.

Es waren die caesarischen Blicke der napoleonischen Soldaten auf die Unterworfenen, die Scham und Zorn der in der Höhle lebenden Fellachen am Nil entfesselten. Diese Blicke nahmen ihnen ihre Illusion der Omnipotenz. Je mehr die Franzosen auf sie starrten, desto wütender und desorientierter reagierten die Fellachen. Mehr als zweihundert Jahre später stellt sich die Situation wenig anders dar: Eine Kultur schämt sich innerlich und gleicht das mit demonstrativ nach außen getragener moralischer Überlegenheit aus. »Ihr habt die Uhren, aber wir haben die Zeit«, sagte einst ein Marokkaner zu seinem französischen Kolonialherrn. Zum eigenen Schutz wird die Überlegenheit des anderen als Mythos erklärt, er wird zum Eindringling, mit dessen Bekämpfung man Scham in eine Mission verwandeln kann. Der andere wird auf eine Essenz reduziert, die für alles steht, was die Höhlenbewohner verabscheuen. Statt sich mit der Ambivalenz des Europäers zu beschäftigen, wird er immer zum unmoralischen Gespenst stilisiert. Auch Europäer spielen dieses Spiel gerne, wenn es um den Islam geht.

Platons Gleichnis schließt mit der Frage, was passierte, wenn einer der Gefangenen durch Gewalt aus der Höhle befreit würde. Zwar hätte er am Anfang Schwierigkeiten, sich ans Sonnenlicht zu gewöhnen, aber nach einer Weile würde er sich der neuen Umgebung anpassen. Sollte er zur Höhle zurückkehren, könnte er mit den Schattenbildern und Bewegungen nichts mehr anfangen. Die Art, wie er die Höhle deutet, und das, was in ihr geschieht, stünde dann in Konflikt zu der Wahrnehmung der Gefangenen. Man würde ihn und seine »verdorbenen Augen« auslachen. Von nun an würden sie jeden umbringen, der sie von den Fesseln lösen und ans natürliche Licht bringen wollte; ein Phänomen, das Erich Fromm »die Furcht vor der Freiheit« nennt. Denn der Mensch ist zwar auf diese Freiheit hin ausgerichtet, aber ob und wie er diese Freiheit verwirklicht, das hängt von seiner persönlichen und von der gesellschaftlichen Situation ab.

Manche Islamkritiker begehen den Fehler, das Kernproblem der islamischen Welt als ein Kampf zwischen Individualität und Gemeinschaft zu beschreiben. Allein das Individuum als Gegensatz der Gemeinschaft zu betrachten ist ein fataler Irrtum. Denn es sind die Ängste des Individuums vor der Einsamkeit und vor seinen eigenen unberechenbaren Trieben sowie sein Wunsch nach Nestwärme, Orientierung und Anerkennung, die das Funktionieren einer Gemeinschaft ermöglichen. Das Individuum entsteht nicht ohne den Druck einer Gemeinschaft, die es nötigt, sich von ihr abzugrenzen, und eine Gemeinschaft kann es nicht ohne Individuen geben, die ihre Werte mittragen und somit ihr Funktionieren erst ermöglichen.

Der französische Philosoph Jean Luc-Nancy betrachtet das Individuum lediglich als dem Überrest einer in sich zerfallenen Gemeinschaft. Die Abkapselung des Individuums von seiner Gemeinde ist wiederum der Anfang der Entstehung einer neuen, die ebenfalls Grenzen zu anderen Gemeinden zieht und von ihren Mitgliedern Loyalität verlangt. Bevor er Prophet wurde, war Mohamed ein Einzelgänger, der mit den Sitten seiner Gemeinde unzufrieden war, deshalb brach er aus ihrer Bahn aus und gründete den Islam, der wiederum Druck auf seine neuen Anhänger ausübte und sie gegen ihre Gegner einschwor. Auch Lenin war einst ein Individuum, das anders dachte und handelte als seine Umgebung. Aus den Gedanken der beiden Revoluzzer und durch ihr Streben sind aber zwei Systeme entstanden, die die Menschen und ihre Seelen uniformierten. Beide Idealisten waren von der eigenen Macht berauscht und wurden bald von der Realität überholt, so dass sie, ohne es zu merken, gegen die eigenen früheren Prinzipien handelten oder handeln mussten. Man darf allerdings nicht vergessen, dass sich viele Menschen nur in der Uniformierung wohl fühlen. Egal, wer auf wen Druck ausübt, Gemeinschaft und Individuum bleiben Verbündete. Es bleibt ein Wechselspiel.

Erich Fromm geht davon aus, dass jeder Mensch von den Strukturen der Gesellschaft, in der er lebt, stark beeinflusst wird. Diese Strukturen tendieren dazu, die psychischen Energien des Einzelnen so zu gestalten, dass er das, was er tun muss, gerne tut, damit diese Ge-

sellschaft in ihrer speziellen Form existieren kann. So
gesehen wäre die Selbstverwirklichung des Menschen
aus seinem eigenen individuellen Impuls heraus bis
jetzt in keiner Gesellschaft dieser Welt realisiert worden. Wir alle sind gefangen in unseren Systemen, und
selbst die Freiheit ist nichts außer einem Konzept von
Freiheit, das uns vorgeschrieben wird. Auch die Voraussetzung und der Gedanke der Revolution entstehen
durch das Selbstverständnis des Systems, nicht durch
die Idee eines Individuums. Der Revolutionsführer ist
lediglich ein Sprachrohr, der dem eine Sprache verleiht,
was sich unter den Massen bereits zusammengebraut
hat. Er spricht nur aus, was jeder weiß und will, aber
nicht formulieren kann. Selbst die Revolution ist eine
Flucht ins Kollektiv.

Fromm benennt drei Fluchtwege, die aus Furcht vor
der Freiheit genommen werden: die autoritären Tendenzen, den Zerstörungstrieb sowie die automatische
Anpassung. Dadurch, dass die »Freiheit von etwas«
nicht durch eine sinngemäße »Freiheit zu« ergänzt
wird, erreicht man eine Verwirrung, die die positiven
Freiheitsziele oft zu einem individuellen und kollektiven Kerker werden lassen. Somit kann man sagen, dass
das Gegenteil von Individualität nicht Gemeinschaft,
sondern Uniformierung ist. Der sichtbare und unsicht-
bare Konformitätsdruck, den eine Gesellschaft auf ihre
Mitglieder ausübt, ist der wahre Feind des Individualis-
mus. So gesehen sind wir alle in der einen oder anderen
Form keine wahren Individualisten, denn wie viele von
uns verlassen die Höhle des Denkens, in die sie hinein-
geboren sind, und interpretieren die Welt jenseits der

Logik des Schattens, den das System auf uns durch seine Sozialisation wirft?

Fromms Gedanke lässt sich vielleicht an einem Do-it-yourself-Shop für Möbel und Haushaltswaren exemplifizieren. Dort wird eine Macht auf das Individuum ausgeübt; keine Macht der Gebote, sondern der Angebote. Ein solches Geschäftsmodell weckt im Kunden die Illusion, individuell und kreativ zu sein, weil er die Ware selbst zusammenstellen kann. In Wirklichkeit findet er dort nur begrenzte kombinatorische Möglichkeiten und bewegt sich im Rahmen einer vom Hersteller vorgesehenen Phantasie. Der mündige Bürger ist in diesem Laden nichts als ein Instrument, ein Konsument, doch ihm wird das Gefühl vermittelt, er sei ein Gestalter. Es fällt vielen von uns schwer zu erkennen, dass wir in einer Ikea- und Bauhaus-Gesellschaft leben, die meisten von uns zumindest.

Es sind immer bloß wenige, die die vorgeschriebene Bahn verlassen und sich auf ein neues Territorium wagen. Diese Menschen schreiben zwar bisweilen Geschichte, bleiben aber meist einsam und von der Gesellschaft verkannt; sie sind soziale Häretiker, die während ihrer Lebenszeit verflucht werden und nach ihrem Tod oft Anerkennung finden. Neugier mag in der Natur jedes Menschen liegen, doch Erkenntnis ist nicht das Ziel jedes Einzelnen, denn der Weg dorthin ist oft steinig und einsam. Und der Reiz der Erkenntnis wäre gering, »wenn nicht auf dem Wege zu ihr so viel Scham zu überwinden wäre«, sagt Nietzsche. Und diese Scham steht der islamischen Welt immer im Wege. Weil es im Gründungmythos des Islam keinen Prometheus gab,

der das Feuer von den Göttern stahl, gibt es auch keine
»faustische Seele«, wie Oswald Spengler es nennt, die
einen Prozess der Aufklärung in der islamischen Welt
entfesseln konnte.

Isolation und die lange Betrachtung des eigenen
Schattens führt nicht nur zur Selbstverherrlichung,
sondern auch zu Paranoia. Jede Kritik von außen wird
als Kriegserklärung verstanden; jedes Infragestellen
von innen als Häresie, als Verrat gedeutet. Je geschlos-
sener eine Gesellschaft, desto stärker empfindet sie die
Außenwelt als feindselig. Der Moralkodex wird strenger, der Druck auf die eigenen Anhänger wächst, um
bedingungslose Loyalität zu erzeugen. Physische und
intellektuelle Verschleierung werden vorgeschrieben.
Die faustischen Gedanken werden erdrückt, ehe sie geboren sind. Eindringlinge und Abtrünnige werden am
meisten gefürchtet und angefeindet. Je mehr die geschlossene Gemeinschaft den Einfluss der Außenwelt
spürt, desto härter schlägt sie auf die eigenen Mitglieder, die aus der Reihe tanzen. Eine isolierte Gesellschaft
lebt von Solidarität, Überwachung und Schweigen und
stirbt an kulturellem Inzest. Die großen Schandtaten
werden von den Familienoberhäuptern vertuscht und
von den Untertanen verdrängt. Jeder, der sich dieser
Logik widersetzt, riskiert bestenfalls die Verbannung
oder die Verbrennung. Oft bezahlten Reformer in der
islamischen Welt ihren Versuch der Umgestaltung mit
dem Leben, oft aber kehrten viele von ihnen zur Höhle
zurück und legten sich freiwillig die Fesseln wieder an
und richteten ihre Blicke auf den Schatten.

Was ist schiefgelaufen?
oder: Der lange Abschied
vom Morgenland

Man könnte sagen, der Islam hatte eine leichte Geburt, eine turbulente Kindheit, eine kurze fruchtbare Jugend und eine lange, lethargische Phase des Niedergangs. Der Geschichtsphilosoph Ibn Khaldun schreibt über die Araber, sie seien von ihrer nomadischen Natur her zerstörerisch und besäßen geringe Anlagen zur Kunstfertigkeit. Aber er verehrt auch die Verwandlungskraft des Islam, der streitende Nomaden in eine kulturschaffende Zivilisation verwandelte. Das ist ein Argument, das viele Muslime gegen die Idee der Säkularisierung verwenden. Sie meinen, Europa musste sich von der Herrschaft der Kirche verabschieden, weil die Kirche stur gegen Wissenschaft und Innovation war. Doch der Islam war es, der aus den ungebildeten Arabern erst eine Hochkultur machte, die Europa im Mittelalter in allen Gebieten des Wissens überlegen war. Nur bleibt fraglich, ob diese Blütezeit im Mittelalter tatsächlich allein dem Islam zu verdanken war.

Die rasante Expansion des Islam wenige Jahre nach seiner Geburt ist der widersprüchlichen, aber effektiven Kombination von mehreren Grundelementen zu verdanken: der Koran als direktes Wort Gottes, ein klares Gottesbild; die Versöhnung von Monotheismus und altarabischen Traditionen; jüdische Gesetzlichkeit und die damit verbundenen klaren Handlungsanweisungen, Stammesbewusstsein und Gemeinschaftssinn, Universalitätsanspruch, der den Dschihad als Dauerzustand sieht. Das Prinzip »Blutsverwandtschaft« der vorislamischen arabischen Stammesgesellschaften wurde durch das Prinzip »Glaube« ersetzt oder ergänzt. Geschickt war, dass der Islam, zumindest prinzipiell, zwischen Arabern und anderen Völkern nicht unterscheidet, sobald sich diese dem Islam unterwerfen.

Die Grundpfeiler Koran, Gottesbild, Gesetzlichkeit, Stammesbewusstsein, Universalitätsanspruch und Dschihad wurden dem Islam später jedoch zum Verhängnis, denn sie wurden nie neu verhandelt oder transformiert. Diese Prinzipien sind in der Tat für die Disziplin und die Mobilisierung von Kämpfern verantwortlich, die die ersten Siege des Islam möglich machten. Auch darf man nicht außer Acht lassen, dass der Islam zu einem historisch günstigen Zeitpunkt geboren wurde, da die beiden Großreiche, das der Sassaniden im heutigen Iran und das byzantinische Reich, sich seit der Spätantike in Zermürbungskriegen wechselseitig geschwächt hatten. Die beiden Reiche hatten arabische Stämme als Vasallen für sich kämpfen lassen, die damals modernste Militärtechniken beherrschten. Als Mohamed Arabien einte, waren diese Stämme im Namen der Blutsverwandtschaft zum Islam übergelaufen und brachten diese Techniken mit. Der Islam bot ihnen die Option, nicht für die Großreiche und gegeneinander zu kämpfen, sondern selbst zu einem Großreich zu werden.

In der Tat fielen die beiden Großreiche in vergleichsweise kurzer Zeit durch die Kriegszüge der arabischen

Stämme und wurden zum größten Teil islamisiert. Der islamischen Geschichtsschreibung zufolge soll der Prophet Mohamed Briefe an den byzantinischen Kaiser, den ägyptischen Statthalter und den Sassanidenkönig verschickt haben, in denen er sie einlud, zum Islam überzutreten. »Sei Muslim, wirst Du heil!« soll der Inhalt seiner Botschaft gewesen sein. Keine außerislamischen Quellen bestätigen diese »Einladung« oder legen nahe, dass diese Könige Mohamed überhaupt wahrgenommen haben. Anscheinend wollten die muslimischen Geschichtsschreiber lediglich beweisen, dass Mohameds Anliegen nur die Verbreitung seiner Botschaft und nicht die Eroberung war. Es ist bemerkenswert, dass diese historiographischen Werke in der Zeit der großen Eroberungswellen des Islam entstanden. Zu seinen Lebzeiten unternahm Mohamed selbst keinen Versuch, diese Gebiete zu erobern. Er streifte lediglich mit dreißigtausend Mann die byzantinische Grenze, ohne sich in Kampfhandlungen verwickeln zu lassen, um die umliegenden arabischen Stämme, die noch keine Allianzen mit ihm eingegangen waren, zu beeindrucken. Als diese sahen, wie Mohamed aus byzantinischen Gebieten ohne Verluste zurückkehrte, nahmen sie an, dass er Byzanz besiegt hatte, und unterwarfen sich seiner Macht.

Bis zu Mohameds Tod waren die Konzepte von Dschihad und Scharia noch nicht konkretisiert. Auch ein schriftlicher Koran lag erst zehn Jahre nach seinem Lebensende vor. Es waren Mohameds Nachfolger, die in einem rasanten Tempo die Gebiete um Arabien unter ihre Kontrolle brachten. Sie waren es, die den Koran kanonisierten und den Dschihad und die Scharia in einer Weise auslegten, die ihren Herrschafts- und Eroberungsstrategien entsprachen. Keine hundert Jahre nach dem Tod des Propheten war der gesamte Vordere Orient, waren Nordafrika und Andalusien fest in muslimischer Hand. Fraglich bleibt, ob diese Expansion allein dem kriegerischen Geschick der eifrigen muslimischen Kämpfer zu verdanken war oder ob es sich dabei doch um mehrere Faktoren gehandelt hat. Man kann nicht außer Acht lassen, dass der Islam ein Machtvakuum füllte, das das untergehende byzantinische und das sassanidische Reich hinterließen. Dazu kommt, dass die muslimischen Eroberer ihre neuen Untertanen nicht zur Konversion zum Islam gezwungen hatten, solange diese die *dschizia*, die Schutzsteuer, entrichtet haben.

Mit der rapiden Expansion ging sowohl eine wirtschaftliche Blüte als auch ein wissenschaftlicher Umsturz einher, von denen auch die eroberten Gebiete profitierten. Weder die Araber noch der Islam allein waren für diese Revolution verantwortlich, sondern die Vermischung der Nationen im Zuge des islamischen Vormarschs; eine Dynamik, die übrigens auch Alexander der Große, als er den Orient eroberte, kennenlernte. Durch die arabische Expansion trafen die Araber auf reiche Reste alter Kulturen und auf unterschiedliche Religionen, auf Juden und Christen, Syrer und Ägypter, Sabäer und Anhänger Zarathustras, Kurden und Berber, die noch eifriger im Glauben waren als die Araber und sich als wahre Diener des Islam beweisen wollten. Keinem wurde der Aufstieg verwehrt, solange er seine Loyalität zum Islam zeigte. Sogar nichtmusli-

mische Wissenschaftler, Übersetzer und Handwerker
wurden in diesen Prozess mit einbezogen.

Die Verschmelzung tief wurzelnder Kulturen, reich
an Weltwissen, mit der arabisch-islamischen Dynamik
erzeugte einen ungeheuren Modernisierungsschub im
Vorderen Orient. Avicenna, Farabi, Khawarismi, Jo-
hannes von Damaskus, Averroes und Maimonides,
Hauptprotagonisten dieses Prozesses, waren keine
Araber. Es waren auch nicht die Geburtsstädte des Is-
lam, Mekka und Medina, die Wissenszentren dieser
Zeit wurden, sondern Damaskus, Bagdad, Bukhara,
Kairo und Cordoba. Zwei Eigenschaften hatten die
Araber damals, die sie heute verloren haben: Selbstbe-
wusstsein und eine hohe Integrationskraft für das Wis-
sen anderer. Sie hatten keine Berührungsängste mit den
Andersgläubigen und nutzten deren Expertise als
Übersetzer oder Forscher. Sie ließen die Werke der An-
tike ins Arabische übertragen und nannten die alten
Griechen *al-qudama'a,* »die Vorfahren«. Auch wenn
Juden und Christen als Bürger zweiter Klasse unter
dem Islam leben mussten, sah man sie damals nicht als
Gefahr, sondern wurde von ihnen animiert und berei-
chert. Die arabischen Eroberer trafen auf gebildete,
hellenisierte Christen und Juden und debattierten mit
ihnen über die Natur Gottes und über die Schöpfung.
In diesem Zuge entstand die islamische Theologie *Ka-
lam,* die in die arabische Philosophie mündete, die aber
nun gar nicht arabisch war.

Da der Koran keine zusammenhängenden Prophe-
tengeschichten erzählt, sondern nur Bruchteile davon,
waren es jüdische Interpreten, die mit ihren hebräi-

schen Geschichten, *israeliyat,* eine wichtige Quelle für
die Exegese des Korans vorlegten. Die Christen besa-
ßen die »Kultfigur« Jesus, der als Sohn Gottes und
Wunderheiler galt. Da Mohamed nie Wunder voll-
bracht hatte und keinen Märtyrertod gestorben war,
sondern an Fieber, konnten Muslime ihn nicht als Pen-
dant von Jesus in die Debatten einbringen. Diese Rolle
sollte nun der Koran spielen, als das Wunder Gottes,
das Wort geworden war. Obwohl der Koran bereits im
achten Jahrhundert für die Denkschule *Mutazila* als er-
schaffen und nicht als ewig galt, war er ab dem neunten
Jahrhundert heilig. Je mehr sich die Muslime von der
Zeit des Propheten entfernten, desto unantastbarer
wurde der Koran und desto stärker hingen die Muslime
an seinen Buchstaben fest; eine Haltung, die die Reform
des Islam bis heute verhindert.

Zumal in Krisenzeiten spielte der Koran die zentrale
Rolle. Er bot den Muslimen Halt und Trost. Die Kreuzzüge (1096–1291) führten dazu, dass Muslime den eigenen christlichen Minderheiten skeptisch gegenüber-
standen und ihnen eine noch höhere Loyalität abver-
langten. Bis zum Einfall der Gotteskrieger aus dem
Westen war mehr als die Hälfte der Bevölkerung Syri-
ens und Ägyptens noch christlich, da die arabischen
Eroberer an ihrer Konversion nicht interessiert waren.
Das lag nicht etwa an der Toleranz der Eroberer, sondern am wirtschaftlichen Kalkül, denn Nicht-Muslime
hatten höhere Steuern zu entrichten als Muslime.

Während der Kreuzzüge und danach kam es jedoch
zu Massenkonversionen, deren genauere Ursachen
noch nicht untersucht wurden. Allerdings liegt es nahe

zu vermuten, dass diese Konversion zwei Gründe hatte: Zum einen wollten die orientalischen Christen den Verdacht von sich weisen, sie seien Kollaborateure der Kreuzritter, zum anderen führten die andauernden Kämpfe zu einer Schwächung der Wirtschaft, und die Konversion war in Zeiten wirtschaftlicher Not der Versuch, die hohen Steuern zu meiden. Auch wollten die Konvertiten wohl die neuen, verschärften *Dhimmi*-Gesetze für Minderheiten umgehen, die im Zuge der Kreuzzug-Paranoia erlassen wurden.

Mit dem Einfall der Mongolen (1258) und der Zerstörung Bagdads verhärtete sich die Paranoia in den Köpfen der Muslime. Viele führten die Niederlage auf die Entfernung der Muslime von den Prinzipien des Islam zurück, war Bagdad doch ein liberales Zentrum des Denkens und Lebens, in dem Alkohol, Tanz und Gesang und sogar Häresie geduldet waren. Die islamische Theologie, die auf dem Prinzip *fiqh*, also auf Verstehen, fußte, verengte sich mehr und mehr zu einer stagnierenden, buchstabengetreuen Auslegung des Korans. »Das gesamte Wissen befindet sich im Koran«, das war die neue Geisteshaltung, die die Entfernung der Muslime vom weltlichen Wissen einleitete. Der Glaube sollte wieder gereinigt und von fremden Einflüssen befreit werden. Am Ende standen die Verteufelung der Philosophie, die Unterdrückung der Minderheiten und der Frauen. Und so wurde nicht nur die gesellschaftliche Dynamik gehemmt, sondern auch die wissenschaftliche Zusammenarbeit mit Nicht-Muslimen beendet. Hinzu kam ein wesentlicher Wirtschaftsfaktor, der die Bedeutung des Nahen Ostens für den internationalen

Handel marginalisierte, nämlich die Entdeckung des Seeweges um das Kap der guten Hoffnung im Jahr 1498 durch den Portugiesen Vasco da Gama. Von nun an machten nicht nur die Handelsschiffe einen großen Bogen um die arabischen Gebiete, sondern auch das weltliche Wissen und die neuen Ideen.

Auch die Änderung der Bildungspolitik beschleunigte den Niedergang des Goldenen Zeitalters des Islam. In der Blütezeit unterrichteten die Schulen neben dem Koran auch Mathematik, Philosophie und Medizin, was Forschung und Innovation starke Impulse gab. Vor und nach der Zerstörung Bagdads zerbröckelte das Imperium in kleine Reiche (Seljuken, Fatimiden, Abbasiden und später Mameluken und Safawiden), die sich gegenseitig bekämpften. Jeder Herrscher umgab sich mit Kriegsfürsten und Söldnern, die seine Macht stützten. Diese konnte er aber selten mit barem Geld bezahlen, weshalb er ihre Dienste mit Ländereien oder ganzen Stadtvierteln entlohnte. Das schwächte nicht nur die Bauern, sondern hemmte auch die Bildung. Denn die Kriegsfürsten errichteten in ihren Stadtvierteln zwar Moscheen und Schulen, waren aber an Naturwissenschaft und Philosophie nicht interessiert. Von nun an sollten die Schulen einzig in der Religion unterrichten. Die Lehrer waren bemüht, den Kriegsfürsten als tadellosen Diener des Islam darzustellen, widrigenfalls schloss er die Schule. Loyalität statt Wissen, Verherrlichung statt freiem Denken war der Tenor der neuen Bildung. Diese Haltung ist bis heute der Kern der Bildungsphilosophie in den meisten arabischen Staaten.

Von diesem Zeitpunkt an meinte islamische Bildung nur noch die religiöse Indoktrination von Kindern. Auswendiglernen und Einimpfung von realitätsfernen Selbst- und Weltbildern katapultierten die islamische Welt endgültig in die Isolation.

Die Osmanen behaupteten, ihre Eroberungen dienten einzig der Absicht, den Islam zu verbreiten. Das mag vielleicht die türkische Expansion in Europa erklären. Nun war der Nahe Osten allerdings seit dem siebten und dem achten Jahrhundert islamisiert, und dennoch fielen die Osmanen ein, töteten muslimische Glaubensbrüder und eroberten 1516 Syrien und im Jahr darauf Ägypten, bevor sie die gesamte Region kontrollierten. Die vierhundert Jahre während osmanische Herrschaft über den arabischen Halbmond vom heutigen Marokko bis zur Küste des Persischen Golfes schottete diesen Teil der Welt weiter von der benachbarten europäischen Kultur ab. Die siegreichen Türken verbreiteten sogar noch engstirnigere konservative Ideologien und verankerten ein menschenverachtendes Frauenbild. Die Geschlechter-Apartheid, die ohnehin in der arabischen Stammestradition beheimatet war, wurde nun durch das türkische Harem-Denken weiter verschärft. Als der ägyptische Herrscher Muhammad Ali Pascha (1769–1848) sich in den dreißiger Jahren des neunzehnten Jahrhunderts vom Osmanischen Reich lösen und das Land modernisieren wollte, wurde er von den Europäern, vor allem von den Engländern, gestoppt, die sich lieber mit den Osmanen gegen ihn verbündeten.

Während im Verlauf des achtzehnten Jahrhunderts

die Philosophie der Aufklärung und technische Inno-
vationen in Europa eine industrielle und eine intellektuelle Revolution anstießen, die das »Abendland« innerhalb weniger Jahrzehnte grundlegend verändern
würden, herrschten im Nahen Osten Lethargie und
Aberglaube. Parallel zu den tiefgreifenden Entwicklungen im Norden suchte auch auf der arabischen Halbinsel ein Mann das Denken radikal zu reformieren. Muhammad ibn Abd al-Wahhab (1702–1793), der Gründer
der Wahhabiten-Bewegung, forderte, alles Unislami-
sche aus Alltag, Gesellschaft und Denken zu verbannen. Er wollte unmittelbar zu den Buchstaben des Korans zurück, alle Nichtgläubigen und sogar muslimische Mystiker sollten bekämpft werden. Geradezu
ironisch mutet an dieser puristischen Bewegung an,
dass sie ihren Ansatz *tajdid* nannte, also Erneuerung.
Das Konzept basierte auf einer Prophezeiung des Propheten, dass Allah den Muslimen alle hundert Jahre
einen *mujaddid* schickt, der den Glauben erneuert.
Erneuerung bedeutet in diesem Zusammenhang unmissverständlich Reinigung und ein Zurück-zu-den-
Wurzeln. Als Muhammad Ali Pascha diese Bewegung
zerschlagen wollte, weil sie seinen Modernisierungsversuchen im Wege stand, wurde er von den Engländern daran gehindert. Die britische Krone verbündete
sich mit dem Stamm der Saudis; eine in mancherlei
Hinsicht unheilsame Allianz, die bis heute andauert.

Ende des 19. Jahrhunderts fasste die Idee des Nationalismus auch in der arabischen Welt Fuß. Nach dem
Vorbild der unter Bismarck erfolgten deutschen Natio-
nalstaatsgründung wollten die Araber einen modernen

vereinigten Nationalstaat bilden. Die Ideologie Nationalismus hat zwei Bewegungen geboren, die später Erzfeinde wurden und das Schicksal des Nahen Ostens über hundert Jahre und bis heute wesentlich mitgeprägt haben: In Europa entstand der Zionismus und in der arabischen Welt der Panarabismus. Beide suchten der Unterdrückung durch die Europäer zu entgehen, und doch hatten beide diese auch als Vorbild, beide nationalistischen Bewegungen waren vom Sozialismus angezogen.

Interessant ist die Frage, weshalb es den Zionisten, die zunächst außerhalb des Nahen Ostens agierten und sich damit in einer vermeintlich schlechteren Ausgangslage befanden, gelang, einen funktionierenden demokratischen Staat zu errichten, während das parallel gestartete Experiment der Araber scheiterte. Nun, der arabische Nationalismus baute auf Mythen und Personenkult auf, der Zionismus dagegen verfolgte als Bewegung mehrere Strategien parallel. Der zionistische Gedanke wurde sowohl in den Schriften orthodoxer Juden wie Nathan Birnbaum (1864–1937) und säkularer Denker wie Theodor Herzl (1860–1904) entwickelt. An den zionistischen Kongressen beteiligten sich Journalisten und Rechtsanwälte, Studenten und etablierte Köpfe, Männer und Frauen, was die Vielfalt des zu gründenden Staates von Anfang an betonte. Auf der anderen Seite leiteten nur Männer, die meist im Westen studiert hatten, im Stile eines erleuchteten Führers den nationalistischen Diskurs in Ägypten, Syrien, in der Türkei und auch im Iran.

Die jüdisch-nationalistische Bewegung unterteilte

sich einerseits in den politischen Zionismus, der durch
Verhandlungen mit Politikern der Großmächte die zionistische Idee auf die internationale politische Tagesordnung setzte. Nicht nur Österreich-Ungarn, Deutschland, Frankreich und Großbritannien wollte man vom
Recht der Juden auf einen Nationalstaat überzeugen,
sondern auch das Osmanische Reich. Herzl besuchte
sogar den osmanischen Kalifen in Istanbul, um ihn zu
überreden, ein Stück Land in Palästina für die Juden
zur Verfügung zu stellen. Andererseits lebte die jüdisch-nationalistische Bewegung im praktischen Zionismus, der die Auswanderung der Juden nach Palästina organisierte und dort Kibbuze gründete, in denen
die sozialistischen Ideen in die Tat umgesetzt werden
sollten. Ferner existierte als vitale Strömung ein kultureller Zionismus, der dafür sorgte, dass nicht nur die
jüdische Tradition nach Palästina importiert wurde,
sondern auch die Gedanken der Aufklärung.

Obwohl die Juden schlimme Unterdrückung in Europa erlitten hatten, sagten sie sich nicht von der geistigen europäischen Tradition los, hatten sie doch selbst
daran in einem erheblichen Maße durch ihre Denker
und Wissenschaftler Anteil. Auf der anderen Seite verlief das Projekt der Vereinigung der Araber im Sande,
da es von Anfang an ohne Plan war und auf Slogans
statt Konzepte setzte. In Palästina waren die Zionisten
Bauern, Arbeiter und Guerillakämpfer. Doch als Ben
Gurion im Mai 1948 den Staat Israel ausrief, ordneten
sich alle Untergrundkämpfer der Staatsgewalt unter.
Bereits vor der Gründung des Staates hatte Ben Gurion
ein Schiff im Meer versenken lassen, das Waffen im

Auftrag des jüdischen Untergrundkämpfers Menachem Begin, der später selbst Außenminister und Ministerpräsident des Landes wurde, ins Land zu schmuggeln versuchte. Trotz zahlreicher Kriege und einer permanenten Bedrohung durch die arabischen Nachbarn, entschied man sich für die demokratische Grundordnung und schuf damit die erste Demokratie der Region. Die gleichen Kriege waren es, die die diktatorische Macht der arabischen Anführer immer weiter stärkten und sie zu unantastbaren Despoten machten. »Keine Stimme darf sich über die Stimme der Schlacht erheben«, sagte einst Präsident Nasser von Ägypten, um die kritischen Stimmen im Lande während des Krieges zum Schweigen zu bringen.

Auf der anderen Seite entwickelten sich die Kibbuze nach der Gründung Israels weiter. Ärzte, Künstler und Professoren beackerten das Land gemeinsam und beharrten nicht auf eine Arbeit, die ihren Qualifikationen entsprach. Dafür erfanden die Zionisten den Begriff *avodah ivrit* (jüdische Arbeit), um sich von der Stubenhockermentalität der hierarchisch denkenden Araber abzugrenzen: eine diskriminierende, aber effektive Haltung. Auf der anderen Seite bauten die arabischen Herrscher ihre Macht auf Waffen auf und nutzten die Existenz Israels als beständig repetiertes Argument, um die eigene Bevölkerung zu unterdrücken.

Ich möchte allerdings unmissverständlich klarstellen, dass diese Darstellung freilich nicht als eine Liebeserklärung an Israel oder als eine Ausrede für die israelische Politik in den besetzten Territorien verstanden werden darf. Denn auch die Israelis ließen kaum eine

Chance aus, um Fehler zu begehen. Zum Beispiel nach
dem Sieg im Sechstagekrieg von 1967 verpasste Israel
die Chance, aus einer Situation der Stärke heraus einen
gerechten Frieden mit seinen Nachbarn zu schließen.
Auch eine humane Lösung für die palästinischen
Flüchtlinge hätte mit israelischer Hilfe gefunden werden können. Stattdessen wurde eine Siedlungspolitik
betrieben, die etwa eine Zwei-Staaten-Lösung bis heute
beinahe unmöglich macht und Israel von innen zu er-
würgen droht. Der Konflikt begann mit einem Kampf
von Recht gegen Recht und endete mit einem Kampf
von Unrecht gegen Unrecht, sagte der norwegische
Friedensforscher Johan Galtung. Heute treten beide
Seiten in einen Wettbewerb darüber ein, wer von ihnen
das größere Opfer sei.

Als Ben Gurion am 14. Mai 1948 den israelischen Staat
ausrief, fielen fünf arabische Armeen, schlecht bewaff-
net und mit geringer Kenntnis des Feindes, über den
neuen Nachbarn her, dessen Existenz die Araber für
unrechtmäßig hielten. Die junge israelische Armee
schlug die arabischen Truppen und befestigte ihre Kontrolle über das Kernland Israel. Unter den gedemütig-
ten Arabern in Palästina war der junge ägyptische Offi-
zier Gamal Abdel Nasser (1918–1970). Vier Jahre nach
der Niederlage brachte den vom Sozialismus angezoge-
nen Nasser, unterstützt von der Muslimbruderschaft,
ein Militärputsch in Kairo an die Macht. Der König Fa-
rouk von Ägypten musste abdanken, er verließ das
Land und begab sich ins italienische Exil. Nasser, der
neue Alleinherrscher am Nil, verfolgte drei Ziele: die

Einführung des Realsozialismus, die Modernisierung
Ägyptens und die Vernichtung Israels bzw. die Rückeroberung Palästinas.

Um neue Industrien aufzubauen, benötigte Nasser
neue Energiequellen und stieß deshalb das Mammutprojekt des Assuan-Staudamms an, für dessen Finanzierung er internationale Kredite suchte. Doch die
Weltbank verweigerte ihm die Finanzierung wegen seiner Nähe zur Sowjetunion und seiner antiisraelischen
Rhetorik. Um sein Projekt zu verwirklichen, enteignete er den Suezkanal, der zu diesem Zeitpunkt unter
französisch-britischer Kontrolle lag. Die ehemaligen
Kolonialherren Frankreich und Großbritannien versuchten mit Hilfe Israels die Kontrolle über den Suezkanal durch einen Militärschlag im Herbst 1956 zurückzugewinnen, doch obwohl der Anschlag die Städte
um den Kanal verwüstete, blieb der Kanal in ägyptischer Hand, und Nasser wurde als Held gefeiert. Mit
Hilfe der Sowjetunion rüstete Nasser auf und glaubte
fest daran, Israel bald zu vernichten. Doch die Israelis
waren schneller und griffen Ägypten im Juni 1967 ohne
Kriegserklärung an. Ihnen gelang es nicht nur, Jerusalem zu erobern, sondern auch die ägyptische Sinai-
Halbinsel, den Gazastreifen, das Westjordanland und
die syrischen Golanhöhen.

Nachdem Nassers Projekt der Befreiung Palästinas
in einer Katastrophe geendet war, verblasste auch der
Glaube an Nationalismus und Sozialismus. Eine ganze
Generation war in der gesamten arabischen Welt von
dieser Niederlage betroffen. Einmal mehr standen die
Araber vor dem Scherbenhaufen eines unkalkulierba-

ren Abenteuers und suchten Orientierung. *Al-Islam huwal-hall,* Islam ist die Lösung, lautete das Motto der Islamisten, denen sich nun zunehmend Orientierungssuchende anschlossen. »Der Fundamentalismus blüht auf den Trümmern gescheiterter Experimente«, schreibt der französische Autor und Islamkritiker Abdelwahab Meddeb. Während die ersten palästinensischen Kommandos, die gegen Israel kämpften, aus Marxisten und teilweise sogar aus Atheisten bestanden, mutierte der arabisch-israelische Konflikt mehr und mehr von einer territorialen zu einer religiösen Konfrontation.

Erst in den achtziger Jahren des zwanzigsten Jahrhunderts tauchte die Hamas als politische Kraft in den palästinischen Gebieten auf. Die Hamas gilt als Filiale der ägyptischen Muslimbruderschaft, die 1928 gegründet wurde. Die Hamas wurde anfangs von den Israelis geduldet oder sogar unterstützt, um als Ausgleich zu der säkularen Fatah-Bewegung von Jasir Arafat zu fungieren, später richtete sich die Aggression der Hamas allerdings gegen Israel. Auch Anfang der fünfziger Jahre waren es die Muslimbrüder gewesen, die Nasser an die Macht verholfen hatten. Nach der Machtübernahme musste er ihre Anführer ins Gefängnis stecken, da sie gegen seine sozialistische Politik agitierten. Als Anwar as-Sadat Ägypten in Richtung Westen öffnen wollte, rebellierten die Nasseristen und Marxisten. Sadat suchte sein Heil darin, die Islamisten aus den Gefängnissen zu entlassen, um die Marxisten zu schwächen. Ein verhängnisvoller Fehler, den er wenige Jahre später mit dem Leben bezahlen sollte. In der Tat gelang es den ägyptischen Islamisten nach ihrer Entlassung, die Marxisten zu verdrängen, doch sie machten auch Front gegen Sadats Friedenspolitik gegenüber Israel. Und so wurde Anwar as-Sadat schließlich von jenen Männern ermordet, die er zuvor begnadigt hatte.

Zwei islamistische Bewegungen schafften es, ihre radikalen Ideologien überall in der islamischen Welt zu verankern: Die Wahhabiten aus Saudi-Arabien und die Muslimbruderschaft aus Ägypten. Die Petrodollars am Golf und das reaktionäre Denken am Nil schafften es am Ende des zwanzigsten Jahrhunderts, das arabische Denken zu dominieren. In Afghanistan gelang es den Auswüchsen beider Bewegungen, sich zu verbünden. Mit Hilfe der im Kalten Krieg gegen die Sowjetunion vorgehenden Amerikaner konnten die Islamisten ihre Länder verlassen und sich am Hindukusch treffen, um gegen die sowjetischen Truppen zu kämpfen. Aus einer Allianz von arabischem Verdruss, westlicher Willkür und saudischen Spenden entstand in den afghanischen Gebirgstälern al-Qaida, die die arabische Misere am deutlichsten illustriert: man kauft westliche Waffen, um Westler zu töten, benutzt westliche Videokameras, um die Hinrichtung westlicher Journalisten aufzunehmen, und setzt auf sensationslüsterne westliche TV-Sender, um den Terror in der Welt zu verbreiten.

Nicht nur die Ideologie des Dschihad transportieren die Muslimbrüder und die Wahhabiten durch die von ihnen weltweit geförderten Schulen und Satellitensender, sondern auch ihre unversöhnlichen Menschen-, Gesellschafts- und Frauenbilder. Schizophrenie bedeutet Ent-zwei-ung. Aus Entzweiung entsteht Ver-zweif-

lung. Keine andere Ideologie kommt bei den verzwei-
felten Massen so gut an wie die der Muslimbrüder und
al-Qaida. Wut und Größenwahn sind das Benzin im
schweren islamischen Verbrennungsmotor.

Während sich das arabische Denken mehr und mehr
nach rückwärts orientiert, verschärft sich der Konsum
westlicher und chinesischer Verbrauchsgüter drastisch,
und das, ohne Rücksicht auf die Umwelt zu nehmen.
Gleichzeitig überflutet der westliche Massentourismus
die meisten islamischen Staaten und bildet eine der
Haupteinnahmequellen. Viele, die in dieser Branche arbeiten, fühlen sich, als hätten sie ihre Seele an den Teu-
fel verkauft. Man bedient die Touristen zwar freundlich, neidet ihnen heimlich ihren Wohlstand und begeht
gelegentlich mit ihnen die Sünde, doch maßgebend
bleibt die Skepsis ihnen gegenüber als dekadenten Ungläubigen. Der Tourismus bringt selten Aufklärung
und Dialog mit sich, sondern bestätigt viele Muslime in
ihren Annahmen über den rücksichtslosen Verfall der
Sitten durch westlichen Einfluss.

Der Kontakt von Morgenland und Abendland verläuft wie so oft als asymmetrische Begegnung, in wel-
cher der Muslim auf das Trinkgeld des Europäers angewiesen ist, den er aus tiefstem Herzen verachtet. Der
Tourist geht oft nur über die vorgeschriebene Route
der Vorurteile und sieht von den Ländern kaum etwas,
was ihn zum Nachdenken animieren könnte. Er hat
Zugang zu Orten, die die meisten Einheimischen nicht
betreten dürfen. In Urlaubsländern, in denen es meist
ein massives Wasserproblem gibt und wo die Bevölkerung sehr sparsam mit Wasser umgehen muss, sehen die

Kellner, wie die Touristen Unmengen von Wasser in Hotelanlagen, Swimmingpools und auf Golfplätzen vergeuden. »Sie klauen uns sogar das Trinkwasser«, sagte mir ein arabischer Einwanderer, der früher in seinem Heimatland in einem Hotel arbeitete. »Sie fressen unser Fleisch und werfen unsere Knochen weg.« Auch hinter diesem Ressentiment steckt eine enttäuschte Liebe. Denn in seinem Heimatland lernte er eine Touristin kennen, die sich mit ihm während ihres Urlaubs amüsierte. Als er ihr einen Heiratsantrag machte, stellte er fest, dass sie bereits verheiratet war. Somit war sein Projekt, nach Europa zu kommen, zunächst gescheitert. Auch wenn es ihm später gelang, über andere Wege ins Gelobte Land der Ungläubigen zu kommen, konnte er sein Ressentiment doch nicht loswerden.

Der Sextourismus ist in vielen arabischen Staaten kein Randphänomen mehr, sondern ein Bestandteil der Tourismusbranche. Muskulöse junge Männer bieten sich älteren Touristinnen an, und junge osteuropäische Prostituierte kümmern sich um die männlichen Gäste. In Tunesien gibt es dafür sogar eine geschäftstaugliche Bezeichnung: *Business*. Dies vergewaltigt die hartnäckige Tradition und führt den Menschen ihre Doppelmoral vor Augen. Es zeigt, dass die sonst strenge Sexualmoral in der islamischen Gesellschaft nur gekünstelt und nicht immer aus Frömmigkeit, sondern aus Mangel an Gelegenheit aufrechtzuerhalten ist. Aber Sextouristen sind nicht nur die dekadenten Europäer, sondern auch die arabischen Herren aus den Golfstaaten, die im Sommer in den Nachtclubs von Kairo, Beirut und Damaskus nach der käuflichen Liebe suchen.

Die moralische Desorientierung junger Muslime mündet oft in Radikalisierung. Vier ehemalige Freunde von mir sind mittlerweile konservative Muslime geworden, die keiner Frau die Hand reichen – obwohl sie früher an Touristen in den Hotelanlagen Alkohol ausgeschenkt hatten. Einer davon hält sogar Terroranschläge gegen Touristen für gerechtfertigt, denn diese würden nicht nur die Umwelt, sondern auch den Glauben der Muslime zerstören. Die Anschläge von Luxor, Bali und Djerba zeigen, dass radikale Islamisten die Touristen als Kreuzfahrer ansehen.

Die Regierungen in den islamischen Ländern kümmern sich kaum darum. Man lässt nach wie vor den Spagat zu, die Westler im Bewusstsein der Muslime als Feinde einzupflanzen und sie gleichzeitig im Namen der arabischen Großzügigkeit als Touristen einzuladen. Es werden keine Konzepte gegen Wasserknappheit entwickelt, die die gesamte Region in bittere Bruderkriege stürzen könnte. Es gibt keinen Plan für das Leben nach dem Tourismus oder nach dem Erdöl.

Die Lust an der Kränkung oder: Warum die Muslime so ungern an ihre selbstgemachte Misere denken

Mit seinem Ägyptenfeldzug wollte Napoleon zum einen die Basis für eine große französische Kolonie im Orient errichten und zum anderen den Weg Englands zu seinen Kolonien in Indien stören. Durch Geschick und ein kluges Arrangement mit den religiösen Anführern der Al-Azhar Moschee konnte Napoleon seine Macht am Nil bald festigen und einen Aufstandversuch niederschlagen. Die Ägypter waren ja nie große Revoluzzer und hatten meist jeden Herrscher hingenommen, der die Macht ergriff. Den Unmut der Ägypter darüber, dass nun ein Ungläubiger über sie herrschte, konnten die religiösen Wortführer, die von Napoleon monatliche Gehälter erhielten, besänftigen, das Gefühl der Demütigung aber blieb. Mit einem Gerücht über Napoleons Übertritt zum Islam versuchten die Franzosen die Gemüter ein wenig zu beruhigen. Analog lancierten deutsche Stellen während Rommels Vorstoß auf Ägypten das Gerücht, dass Hitler zum Islam konvertiert sei, um die Ägypter zur Revolte gegen die britische Kolonialherrschaft zu ermuntern. Die Nähe zum Volk durch scheinbare Religiosität war immer ein Schlüssel zur Macht in Ägypten, auch in vorislamischen Zeiten. Schon Napoleons Vorbild Alexander

der Große wurde vom aggressiven Eindringling zum
beliebten Herrscher über Ägypten, als er sich im Tempel von Siwa als Sohn des Gottes Amun taufen ließ.

Mit Napoleons Truppen kamen auch französische
Archäologen und Geographen ins Land, die die erste
Enzyklopädie über Ägypten verfassten. Sie entdeckten
den Stein von Rosette, anhand dessen Jean-François
Champollion (1790–1832) die altägyptische Sprache
und die Hieroglyphen entzifferte, ein Meilenstein der
Ägyptologie. Neue Technik, eine funktionierende Ver-
waltung und ein Justizsystem hatten die Franzosen
binnen weniger Monaten in Kairo eingeführt. Doch
nach einem Jahr musste Napoleon nach Frankreich zurück, nachdem er von den starken Rückschlägen der
französischen Streitkräfte in Europa erfahren hatte,
und überließ den Oberbefehl der in Ägypten stehenden
Truppen General Jean-Baptiste Kléber, der bei den
Ägyptern wenig beliebt war. Kléber wurde nach kurzer
Zeit von einem eifrigen Al-Azhar-Studenten namens
Al-Halabi ermordet. Daraufhin wurde für den Täter
ein Tribunal errichtet, wo er ein faires Gerichtsverfahren erhielt. Die Ägypter, die gewohnt waren, dass jeder,
der sich gegen den Herrscher auflehnt, ohne Verfahren
hingerichtet wird, waren beeindruckt von der französischen Vorgehensweise, die dem Angeklagten das Recht
auf Selbstverteidigung einräumte.

Ägyptens erster neuzeitlicher Historiker, Abdarrah-
man Al-Gabarti (1754–1829), der Augenzeuge dieses
Prozesses war, nannte den Attentäter einen »leichtsin-
nigen, dummen Jungen«, denn er habe mit seiner un-
überlegten Tat den ägyptischen Interessen geschadet.

Mehr als einhundertfünfzig Jahre später tauchte jener Student in den Geschichtsbüchern und Theaterstücken im Zuge der Bildung eines modernen Nationalstaates unter Präsident Nasser als Volksheld auf. Von den Errungenschaften, die durch die Franzosen ins Land kamen, und der Allianz zwischen Napoleon und den Al-Azhar-Gelehrten war keine Rede, sondern davon, wie brutal die Franzosen waren und wie Napoleon hoch zu Ross die Al-Azhar-Moschee betreten und das Gebäude entweiht hatte. Der »dumme Junge« ist auch durch die modernen Islamisten als Prototyp des Dschihad-Kämpfers gegen den Westen auferstanden. Da die Kultur seit langem keine neuen Helden hatte, sucht man welche in der Geschichte und lässt sie recyceln, um eine Kontinuität im nationalen und religiösen Widerstand zu konstruieren. Die Lücke zwischen Saladin, der die Kreuzritter im Mittelalter besiegte, und der Neuzeit wird mit imaginären Helden aufgefüllt.

Nach drei Jahren war das französische Abenteuer in Ägypten beendet, und die Truppen kehrten nach Frankreich zurück. Geblieben war ein Hauch der französischen Revolution, aber eben nur ein Hauch. Kurz nach dem Abzug der Franzosen versammelten sich einige religiöse Anführer, Händler und Würdenträger und beschlossen, den mamelukischen Herrscher Khorschid Pascha abzuwählen und an seiner Stelle den albanischen Söldner Muhammad Ali Pascha einzusetzen, der als integrer, gläubiger Muslim galt. Das war der erste und letzte friedliche Machtwechsel in der arabischen Geschichte. Entweder vererbt der Herrscher die Macht an seine Familie oder er wird durch einen anderen Herrscher mit Gewalt abgelöst. Die Bezeichnung »ehemaliger arabischer Präsident« gibt es deshalb noch nicht. Interessant war allerdings, dass die Würdenträger des Landes keinen Ägypter fanden, der über sie herrschen konnte oder den sie über sich herrschen lassen wollten, und stattdessen einen osmanischen Soldaten aus Albanien bitten mussten, dies zu tun.

Muhammad Ali Pascha war ein kluger Stratege. Mit Religion hatte er nicht viel am Hut, aber er hatte sich durch scheinbare Religiosität bei den Ägyptern beliebt gemacht, bis ihm die Macht angetragen wurde. Seine erste Amtshandlung war, alle religiösen Führer ins Wüstenexil zu schicken und alle Militärgeneräle, die die Macht mit ihm teilen wollten, durch ein berüchtigtes Massaker während eines Banketts, zu dem er sie eingeladen hatte, ermorden zu lassen. Nach dem Vorbild Frankreichs wollte der neue Monarch Ägypten nicht nur zu einem modernen Staat formen, sondern auch zur Großmacht aufbauen. In einem atemberaubenden Tempo ließ Muhammad Ali Pascha moderne Fabriken errichten, schickte junge Stipendiaten nach Europa, die er zu Trägern der Modernisierung auserkoren hatte, unter ihnen befand sich der junge Rifa'a al-Tahtawi (gestorben 1873), der später die erste Fremdsprachenschule der arabischen Welt in Kairo errichtete, deren Absolvent ich bin. Die meisten Übersetzungen Tahtawis waren allerdings nicht wissenschaftliche oder philosophische Werke, sondern militärische Dokumente, denn Muhammad Ali Pascha war mit Blick auf die europäischen Staaten zu der Erkenntnis gelangt, dass kein Land sich modernisieren könne, ohne eine starke Armee zu besitzen.

Muhammad Ali Pascha entsandte Expeditionen auf die arabische Halbinsel und schlug den Aufstand der radikalen Wahhabiten nieder, nach Afrika, um die Nilquellen zu kontrollieren. Moderne Bewässerungssysteme, neue Administration und Steuermodelle beflügelten die ägyptische Wirtschaft. Er ließ eine gewaltige Flotte und eine moderne Armee aufbauen, wollte Ägypten vom Osmanischen Reich abtrennen und zeigte Ambitionen, das Mittelmeer zu beherrschen. Spätestens zu diesem Zeitpunkt merkten die untereinander verfeindeten Engländer, Franzosen und Russen auf, verbündeten sich und vernichteten 1827 in der Schlacht von Navarino die ägyptische Flotte vor der griechischen Küste. Wie das Deutsche Kaiserreich sah sich auch Muhammad Ali Paschas Ägypten als verspätete Nation. Es wollte seinen Platz in der Welt einnehmen, als der Kuchen unter den großen Nationen bereits aufgeteilt war.

Muhammad Ali Paschas Modernisierungsversuche trugen nur kurzfristig Früchte, denn sie erwuchsen nicht aus dem Bewusstsein des Volkes, sondern wurden von oben diktiert. Die Reformen hatten ein Tempo, dem die meisten Ägypter nicht folgen konnten. Außerdem mündeten diese Reformen nicht in einer Modernisierung des Denkens und der Demokratisierung des Landes, sondern in einer neuen Phase der Alleinherrschaft und der Despotie. Muhammad Ali Pascha nutzte das feudale System, verteilte Land auf seine Familie und treue Soldaten und ließ jeden hinrichten, der seiner Politik widersprach. Und so blieb er ein Vorbild für die orientalischen Herrscher der Neuzeit, die zwar Moder-

nisierungsprozesse in Gang setzten, jedoch das alte
Herrschaftsmuster beibehielten. Muhammad Ali Pascha entlieh die materiellen Instrumente der Moderne
und ignorierte das Gedankengut dahinter, ein Phänomen, das sich durch die neue islamische Geschichte
zieht und das der Politikwissenschaftler Bassam Tibi
»halbe Moderne« nennt.

Trotz wiederholter Modernisierungsversuche gelang
es der islamischen Welt nicht, Anschluss an Europa zu
finden, da sie sich mit dem Geist der Moderne nicht
versöhnen konnte oder nicht versöhnen wollte. *Hadatha*, der arabische Begriff für Moderne, der aus dem
neunzehnten Jahrhundert stammt, impliziert den Beginn eines neuen Zeitalters. Er ist sprachlich verwandt
mit dem Begriff *muhdatha*, etwas Neues, was im orthodoxen Islam sehr negativ konnotiert ist. Der Prophet
Mohamed soll gesagt haben: »Jedes *muhdatha* ist eine
Erfindung, und jede Erfindung führt zur Verwirrung,
und jede Verwirrung landet in der Hölle.« Zwar handelt es sich hier um Innovation in der religiösen Praxis,
aber auch der säkulare Begriff der Erneuerung wurde
dadurch beschädigt.

Vergleicht man den arabischen mit dem japanischen
Begriff für Modernisierung, kann man den Unterschied
in der Geisteshaltung hinsichtlich der Erneuerung verstehen. Der japanische Begriff, der ebenfalls Ende des
neunzehnten Jahrhunderts geprägt wurde, lautet *bun-
mei kaika*, 文明開化, die Öffnung der Zivilisation. Diesen Prozess nannten die Japaner 脱亜入欧, Asien verlassen, nach Europa gehen. Fukuzawa Yukichi, ein prominenter Politiktheoretiker der Meiji-Ära, schrieb im

Jahre 1885 einen Essay mit dem Titel *datsu a ron,* also
»Auf Wiedersehen, Asien«, wo er seine Landsleute auf
die Moderne einschwor. »Der Wind der Verwestlichung
weht stark und bringt für die Japaner die Möglichkeit
mit sich, die Früchte der Zivilisation zu kosten, oder
die Wahl, im eigenen Schicksal verhaftet zu bleiben.«
Japan befand sich damals in einem ähnlichen Prozess
wie Ägypten in den ersten Jahrzehnten des neunzehnten Jahrhunderts, es baute eine starke Armee auf, entschied sich aber zusätzlich für die geistige Öffnung des
Landes und ließ die industriellen Erneuerungen auf den
altjapanischen Handwerktraditionen aufbauen. Die
neue militärische Macht Japans ließ sich zumindest damals auf keine Konfrontation mit den europäischen
Mächten ein und errichtete die Infrastruktur eines modernen Staates ohne schrille Töne.

Man kann jedoch nicht behaupten, dass sich Japan
dem Geist der Moderne völlig geöffnet hätte. Noch
heute hat das Land der aufgehenden Sonne deutlich
wahrnehmbare Defizite im Demokratieverständnis
und in der Gleichberechtigung von Mann und Frau,
doch die Idee der Öffnung und die Integration von europäischer Technik und Wissenschaft wurden nie durch
Feindseligkeit gegenüber dem Westen aufgehalten.
Selbst nach den schrecklichen Erfahrungen mit Hiro-
shima und Nagasaki keimten im zerstörten Japan keine
antiwestlichen Ressentiments auf.

Dagegen segelte die Moderne aus Sicht vieler Muslime auf Kriegsschiffen übers Mittelmeer und wurde immer wieder von einem Kolonialherrn oder von einem
einheimischen Despoten diktiert. Sie wurde den Musli-

men von keinem Fukuzawa Yukichi erklärt oder
schmackhaft gemacht. Die japanische Kreativität, die
die Moderne in die eigene Tradition münden ließ, fehlte
in der islamischen Welt, denn der Begriff *hadatha* (Moderne) blieb ein Gegensatz zum Begriff *turath*, der
geistiges Erbe oder Tradition bedeutet. Dazu wurde im
Zuge der Nationsbildung ein neuer Begriff eingeführt,
der die Richtung zeigte: *asala*, also Authentizität, Ei-
genheit oder Originalität. Und wann immer Muslime
in der eigenen Traditionsgeschichte nach Stützpunkten
für die neue Identität suchten, landeten sie beim goldenen Kalb, das sie anzubeten begannen: entweder der
brutale Gottesstaat oder der vermeintlich säkulare Alleinherrscher, der im Stile eines altarabischen Stammes-
führers seinen Personenkult um sich bildete und mit
eiserner Hand regierte.

Die Orthodoxie bietet die einzige Möglichkeit des
Rückzugs und der Abkehr, hin zum Status quo oder zu
einem realen oder fiktiven Status quo ante der Kultur.
Sie ist eine Art Rückversicherung gegen jedes Abenteuer der Öffnung. Und weil sie immer im Hinterkopf
bleibt, stört sie jeden Neuanfang und bringt Zweifel
über die Rentabilität der Veränderung. Wer durch Kairo, Teheran oder Kabul vor vierzig Jahren spazierte,
wird die drei Städte heute kaum noch wiedererkennen.
Abgesehen davon, dass sich die Einwohnerzahlen dort
mehr als verdoppelt haben, sieht man, dass viele Prozesse der Modernisierung wieder zurückgenommen
wurden. Während damals kaum eine verschleierte Frau
auf der Straße zu sehen war, sind heute praktisch alle
»islamisch korrekt« unterwegs. Ich erinnere mich, dass

meine Tante aus Kairo uns in unserem Dorf am Nil vor dreißig Jahren im Minirock besuchte und auf der Straße rauchte, was ich cool fand. Damals störte das kaum jemanden. Heute ist ihre Tochter voll verschleiert. Meine Tante, die mittlerweile auch uniformiert ist, blickt auf diese Zeit zurück und bittet Gott um Verzeihung für ihre große Sünde. Sollte eine Frau es heute wagen, ohne Kopftuch durch mein Dorf zu gehen, muss sie damit rechnen, bestenfalls angepöbelt zu werden. Gerade Frauen sorgen dafür, dass keine ihresgleichen aus der Reihe tanzt.

Aber auch ohne den Druck des Kollektivs ist die Rückkehr zum konservativen Islam der kürzeste Weg für Muslime, die in Schwierigkeiten geraten. In Paris traf ich 2006 Faten (das arabische Wort heißt Verführerin), eine junge tunesische Sängerin, die aus einer sehr säkularen Familie in Tunis stammt und eine westlich ausgerichtete Bildung in ihrem Heimatland genoss, bevor sie in die französische Hauptstadt kam. Das negative Bild des Islam in den westlichen Medien hat Faten dazu gebracht, sich zu verschleiern und zum ersten Mal in ihrem Leben in die Moschee zu gehen. Wenn sie in Tunis ist, muss sie den Schleier ablegen, sonst würde ihr Vater sich darüber aufregen, denn er hält ihn für ein Zeichen der Rückständigkeit. Eine weitere französische Muslimin nannte den Islam »mon raison d'être«, also ihren Daseinszweck.

Eine fast identische Geschichte wie die von Faten erfuhr ich von Aisun, einer türkischstämmigen Zahnärztin in Kopenhagen. Obwohl sie in Dänemark geboren und nicht religiös war und wie »jedes andere dänische

Mädchen« lebte, fragte sie sich vor wenigen Jahren:
»Wer bin ich?« Zunächst trug sie T-Shirts mit der türkischen Flagge, nun trägt sie den Schleier, und seitdem
fühlt sie sich geborgen. Als Nächstes will sie Dänemark
verlassen und im Multikulti-Paradies England leben.

Die Scheu oder die Angst vor der Moderne kann
durch eine indische Erzählung verdeutlicht werden:
Eine Ameise aus dem Zuckerberg trifft eine Ameise aus
dem Salzberg in dem Tal zwischen beiden Bergen. Die
eine Ameise erzählt der anderen von dem süßen Geschmack des Zuckers, jene aber kann sich diesen Geschmack nicht vorstellen. Diese verspricht, morgen ein
Stück Zucker mitzubringen, damit jene den Geschmack
kennenlerne. Bevor jene ihre Höhle am nächsten Tag
verlässt, nimmt sie ein Stück Salz mit und versteckt es
unter ihrer Zunge, damit sie etwas für das Mittagessen
dabeihat, falls der Zucker ihr nicht schmeckte. Als sie
das Stück Zucker entgegennimmt, steckt sie es in den
Mund und bemerkt einen komischen Geschmack. »Das
schmeckt scheußlich«, sagt sie. Die andere Ameise ist
erstaunt, weil sie doch weiß, wie gut ihr Zucker
schmeckt. Sie weiß instinktiv, dass etwas mit der Zunge
der anderen nicht in Ordnung ist, und bittet sie, den
Mund aufzumachen, dort entdeckt sie das Salzstück.

In der indischen Version der Erzählung kann die
Zuckerameise ihre Kollegin davon überzeugen, das
Salz auszuspucken, den Mund auszuspülen, um den
Zucker zu genießen. Die Geschichte endet mit dem be-
geisterten Lächeln der Salzameise, die glücklich über
die Entdeckung des neuen Geschmacks ist. Sollte es
eine arabische Version dieser Geschichte geben, dann

endete sie folgendermaßen: die Salzameise würde sich weigern, das Salz aus ihrem Mund zu entfernen, sonst würde sie ihre Ahnen verraten, die nichts außer Salz kannten. Und selbst wenn sie sich zum Zucker verführen ließe, würde sie bald ein schlechtes Gewissen bekommen, zum Salzberg reumütig zurückkehren und von nun an alles Süße verfluchen.

Ich hatte einen gläubigen muslimischen Freund, dem ich einmal den Geschmack des Biers beschreiben sollte. Ich empfahl ihm, ein alkoholfreies Bier zu bestellen, um den Geschmack kennenzulernen, doch er weigerte sich mit der Begründung, sollte er Gefallen am Geschmack finden und es wäre einmal kein alkoholfreies Bier in der Nähe, dann würde er womöglich die große Sünde begehen, ein Bier mit Alkohol zu bestellen. Das erklärt, weshalb viele junge Muslime, die nach Europa einwandern, um in Freiheit zu leben, bald zur Moschee zurückkehren und noch religiöser werden, als sie je waren. Es bleibt bei ihnen nicht, wie bei den oben beschriebenen Frauen, nur bei den religiösen Symbolen, denn Männer glauben oft, eine Identitätsschlacht nach der anderen gewinnen zu müssen. Zunächst trauen sie sich viel Freiheit zu, schmecken die verbotenen Früchte des Abendlandes, verbrennen sich die Finger und kehren zu Gott zurück. Als Zeichen der Wiedergutmachung verabscheuen sie alles Westliche und machen den ungläubigen Westen für ihr Abirren verantwortlich.

Sayyed Qutb, einer der Chefideologen und Mitbegründer der radikalen Muslimbruderschaft in Ägypten, verbrachte zwei Jahre in Amerika, bevor er als radikaler Muslim in seine Heimat zurückkehrte. Vor dieser

Reise war er ein verwestlichter säkularer Ägypter, danach hatte er für den dekadenten Westen nur noch Hass
und Verachtung übrig.

Das trifft auf viele Attentäter des 11. September zu,
die scheinbar vollkommen verwestlicht nach Europa
oder Amerika kamen und einen langen Prozess der Radikalisierung in der Fremde durchmachten, bevor sie
gegen die Wand liefen. Auch Abu-Hamza, der britische
Fundamentalistenführer, der in einer Predigt die Ungläubigen als Tiere bezeichnete und den Muslimen empfahl: »Wenn du Kontrolle über sie hast, darfst du sie zum
Markt führen und dort verkaufen, wenn nicht, dann
schlachte sie einfach.« Bevor seine radikale Karriere begann, war er Türsteher einer Londoner Diskothek.

Vielleicht ist die Ursache für die radikale Islamisierung vieler Muslime im Westen eine Verletzung des
Schamgefühls oder die anthropologische Wunde, die
die fremde Kultur bei diesen Menschen auslöste. Vielleicht besticht aber einfach die islamische Orthodoxie
mit ihrer klaren und Orientierung bietenden Teilung
der Welt nach Konfessionen, die die Ungläubigen entmenschlicht und sie zum Abschuss freigibt. Ungeach-
tet dessen, wie liberal Muslime sein können, bleiben
viele von ihnen mit ihrer Tradition und dieser einfachen
Geographie der Teilung mit einem Gummiband verbunden. Und egal wie weit sie sich davon entfernen,
kehren sie irgendwann zurück und prallen auf den Status quo. Je weiter sie sich entfernen, desto heftiger wird
der Aufprall bei der Rückkehr. So entstehen Terroristen, die alle Brücken von und zu sich zerstören und aus
dem eigenen Leben ein Experiment machen.

Deshalb ist es ein Trugschluss zu glauben, Zeit alleine reiche aus als Garantie für die Veränderung, denn meist dreht sich alles nur im Kreis oder geht sogar rückwärts. Bereits im achten Jahrhundert gab es eine islamische Denkschule namens *mutazila*, die den Koran nicht als ewigen, sondern als historischen Text sah. Demnach durfte der Koran analysiert und sogar kritisiert werden; ein Gedanke, der damals sogar dem Kalifen in Bagdad gefiel, worauf er die Anhänger der Gruppe unterstützte. Im letzten Viertel des zwanzigsten Jahrhunderts wurde der ägyptische Sprachwissenschaftler Abu Zaid von seiner Frau zwangsgeschieden und musste Ägypten verlassen, weil er die ketzerischen Gedanken der *mutazila* wiederbelebte. In den dreißiger Jahren des zwanzigsten Jahrhunderts war Ägypten viel weltoffener und liberaler als heute. Im Jahr 1926 riss sich die ägyptische Feministin Huda Sha'arawi ihren Schleier auf Kairos größtem Platz vom Kopf und rief die muslimischen Frauen auf, ihrem Beispiel zu folgen. Dadurch galt sie als Heldin, und eine Kairoer Straße wurde nach ihr benannt.

1937 veröffentlichte ein ägyptischer Intellektueller ein Buch mit dem Titel »Warum ich Atheist bin«. Damals gab es keine Aufregung darum. Lediglich ein religiöser Dichter schrieb ein Buch als Antwort darauf mit dem Titel »Warum ich gläubig bin«. Sollte sich eine Ägypterin heute trauen, den Schleier demonstrativ zu heben, würde sie wahrscheinlich von den Massen erdrückt werden, denn dieser ist nicht nur ein religiöses Symbol, das er früher war, sondern ist ein Kampfsymbol geworden. Sollte jemand ein Buch über seinen

Glaubensverlust verfassen, verkürzt sich dadurch seine Lebenserwartung drastisch.

Der Ägypter Farag Fouda wurde 1992 vor seinem Haus von Extremisten ermordet, nachdem eine Al-Azhar-Kommission gegen ihn eine Fatwa aussprach, die ihm Gotteslästerung vorwarf. Dabei hatte er nicht etwa die Existenz Gottes bezweifelt oder den Propheten als Kinderschänder bezeichnet, sondern er plädierte öffentlich für die Trennung von Religion und Staat. Sieben Jahre zuvor war der sudanesische Theologe Mahmoud Mohamed Taha in Khartum hingerichtet worden, weil er die Scharia als historisches Konstrukt bezeichnet hatte, das heute keine Geltung mehr habe. Taha war der einzige arabische Intellektuelle, der sich in der Blütezeit des Nationalismus in den sechziger Jahren für die Versöhnung mit Israel aussprach, damit die Araber die Energie und die Ressourcen, die sie für Rüstung vergeudeten, in den Aufbau ihrer Länder stecken könnten. Allein deshalb galt er damals als Ketzer.

Aber diese Geisteshaltung ist nicht neu im Islam. Sie ist nicht, wie viele vermuten, eine neue Erscheinung als Reaktion auf die Moderne. Schon im sogenannten goldenen Zeitalter des Islam, als arabische Wissenschaft und Philosophie florierten, gab es eine heftige Auseinandersetzung zwischen rationalem Denken und buchstabentreuer Lebensweise, die mit dem Sieg der Traditionalisten endete, für die Kontinuität wichtiger war als Erneuerung. Die goldene Zeit in Andalusien wird gern als Beispiel für muslimische Toleranz gegenüber Juden und Christen und für die fruchtbare wissenschaftliche Zusammenarbeit der drei Religionen angeführt. Dies hält der amerikanische Historiker Mark Cohen für einen Mythos, den jüdische Intellektuelle im Europa des neunzehnten Jahrhunderts erfunden haben als eine Art historischer Flucht aus der bitteren Realität des europäischen Antisemitismus. Jenseits der utopischen Vorstellung von der konfessionellen Toleranz ist die Geschichte Andalusiens auch im kollektiven arabischen Gedächtnis mit falschen Vorstellungen verbunden. Die Eroberung Andalusiens durch die Araber wird als rechtmäßig, die Reconquista durch die christlichen Könige Ferdinand und Isabella als Verbrechen angesehen. Vergessen sind die Spaltung der Muslime in Andalusien und die gegenseitigen Kämpfe. Vergessen auch die Tatsache, dass die Intoleranz in Andalusien schon zwei Jahrhunderte vor der Reconquista begann, mit der Einwanderung radikaler muslimischer Berber, die von Wissenschaft und Philosophie nichts hielten, die Werke des großen Philosophen Averroes verbrennen ließen und ihn nach Marrakesch ins Exil jagten.

Seitdem gab es in der islamischen Geschichte keinen Prozess mehr, den man »Reform« nennen könnte, sondern nur kurze gutgemeinte Erneuerungswellen, die es nicht vermochten, den Fels der Orthodoxie zu unterspülen. Oder wechseln wir das Bild: Die islamischen Reformbewegungen gleichen nur kleinen, vereinzelten Rinnsalen, die sich im Sande verliefen und es nie schafften, sich zu einem großen, mächtigen Strom zu vereinen, der vieles hätte mit sich reißen und einen unumkehrbaren Prozess namens »Aufklärung« in Gang setzen können.

Allein das Verständnis davon, was ein Prozess überhaupt ist, gibt es nicht. Das Wort »Prozess« kennt die arabische Sprache nicht einmal. Es wird fälschlicherweise mir *amaliyya* übersetzt, was so viel wie »Operation« bedeutet. Das impliziert, dass man darunter eine kurze, abgeschlossene Aktion versteht. Genauso wird das Wort »Nachhaltigkeit« mit *istimrariyya* übersetzt, also mit »Kontinuität«. Ein Beispiel, wie Prozesse im arabischen Denken geführt werden, ist die Geschichte des Abbas Ibn Firnas. Der Physiker aus Cordoba versuchte im neunten Jahrhundert zu fliegen. Lange beobachtete er die Vögel und baute mit großer Präzision zwei Flügel, die ihn tragen sollten. Es war ein schöner Tag, und der Wind war auf seiner Seite. Er hob vom Boden ab, und es schien, als könnte ihn nichts mehr stoppen. Doch nach vierhundert Metern stürzte er plötzlich ab und brach sich beide Beine. Er hat es nie wieder versucht, und keiner nach ihm wagte das Abenteuer. Die »faustische Seele« blieb am Boden.

Selbstverständlich spielten die europäischen Kolonialmächte eine negative Rolle in der modernen islamischen Geschichte und waren an einer Modernisierung der von ihnen besetzten islamischen Länder nicht wirklich interessiert. Durch ihr aggressives und arrogantes Auftreten taugten sie den Muslimen nicht als Vorbild. Aber egal was die Kolonialherren gemacht hätten, sie hätten nur alles falsch machen können: Als sie sich, wie die Engländer, kulturell in den Kolonien nicht einmischten, hieß es, sie seien gleichgültig und wollten lediglich die Ressourcen der Muslime rauben. Als sie Schulen und kulturelle Einrichtungen aufbauten, wie in den französischen Kolonien üblich, hieß es, sie wollten missionieren und die islamische Kultur unterwandern. Es herrschte sowieso die Vorstellung, dass aus dem Land der Ungläubigen nichts Gutes kommen konnte. Diese psychische Barriere stand immer zwischen der islamischen Welt und dem Westen.

Auch heute, Jahrzehnte nach dem Ende des Kolonialismus, gilt vielen in der islamischen Welt eine umfassende Modernisierung als Beugung gegenüber dem Westen. Sicher spielt die Machtpolitik des Westens eine wichtige Rolle für diese Wahrnehmung seitens der Muslime, eine Machtpolitik, die beständig und nicht immer segensreich Einfluss nimmt auf die vielen ungelösten Konflikte in der islamischen Welt, von Tschetschenien bis zum Nahen Osten. Dennoch sehe ich andere, entscheidende Gründe für das chronische Beleidigtsein der Muslime. Im Kern ist das Selbstbild der Muslime dafür verantwortlich. Sie sehen sich noch immer als Träger einer Hochkultur und können sich nicht damit abfinden, dass sie eine führende Position in der Welt längst verloren haben. »Der Islam hat den Machtverlust nicht verkraftet«, bringt es der in Tunesien geborene französische Schriftsteller Abdelwahab Meddeb auf den Punkt. Das daraus resultierende Ressentiment nährt den islamischen Fundamentalismus, den Meddeb als Herd der islamischen Krankheit ausmacht. Eine archaische Kultur der Ehre und des Widerstandes verhindert eine fruchtbare Zusammenarbeit mit dem Westen, den man lieber auf den »Feind« reduziert.

Meddeb erklärt die Psychologie des ressentimentgeladenen Menschen, im Sinne von Nietzsche, an einem

Menschen, der sich für etwas Besseres hält, als es die
Umstände zulassen, unter denen er lebt. Für den deutschen Philosophen entsteht Ressentiment aus dem sub-
jektiven Gefühl, ständig ungerecht behandelt zu werden. Und so sieht er die Psychologie des Ressentiments
als Selbstvergiftung durch eine nicht vollzogene, ge-
hemmte Rache. Rachegedanken, die nicht ausgeführt
werden, seien, so Nietzsche, wie ein Fieberanfall, den
man nie loswerde.

Ressentiments können aber, zumindest im Sinne
Adornos, als Motor der Mobilisierung der eigenen Ressourcen dienen. Gegen die Fremdgruppe werden Af-
fekte mobilisiert, um die eigene Gruppe zusammen-
zuschweißen. Auf der anderen Seite muss man die Ei-
gengruppe sammeln, damit sie den Kampf gegen die
Fremdgruppe wirksamer führen kann. Manchmal habe
ich das Gefühl, dass wir Muslime Gefallen daran finden, vom Westen beleidigt zu werden; es scheint mir
ein masochistisches Spiel zu sein, das uns beweist, dass
wir am Leben sind. Wir hätten es gerne, dass der Westen etwas gegen uns hat. Es tut unserer verletzten Seele
gut, zumindest zu glauben, dass der Westen uns anvi-
siert und uns zerstören will. Denn sollte der Westen
uns vollkommen ignorieren, würden wir uns bedeutungslos vorkommen. Es tut uns gut zu glauben, dass
unser Gegenspieler ein potenter Gegner ist, der sich
darüber Gedanken macht, wie er uns ärgert.

Einerseits kann diese Wut ein Mittel des Rückzugs
und Ausdruck der Passivität sein; wenn man sowieso
gegen den Westen materiell weder gewinnen noch mit-
halten kann, will man ihm zumindest im Kampf gegen

Globalisierung, Kapitalismus und Ausbeutung Paroli bieten. Andererseits denke ich auch, dass sich hinter diesen Ressentiments eine Hassliebe versteckt. Wir nehmen den Westen zu ernst, wir sind von ihm geradezu besessen. Und es tut uns weh, dass wir von ihm zu wenig Anerkennung erhalten. Genauso, wie die Nachrichten über Beleidigungen des Islam durch den Westen in den arabischen Medien an prominenter Stelle vermeldet werden, registriert man Nachrichten über anerkennende Worte von westlichen Politikern oder Intellektuellen zum Islam. Während der ehemalige US-Präsident Georg W. Bush mit einem Schuhwurf aus dem Irak verabschiedet wurde, wurde sein Nachfolger Barack Obama mit Standing Ovations in Kairo empfangen. Seine Rede an der Kairoer Universität im Juni 2009, in der er den kulturellen Beitrag des Islam für die Menschheit lobte, war für viele Muslime Balsam auf der verletzten Seele. Sechsmal zitierte er den Koran; sechsmal reagierten seine muslimischen Zuhörer mit brausendem Applaus. Eine besondere Freude für Muslime ist es, wenn ein prominenter Mensch aus dem Westen die Verdienste des Islam aufzählt oder zum Islam übertritt. Jedoch werden diese Einzelpersonen von Muslimen eher als Ausnahmen und daher als Argument gegen den Westen und nicht als zentrale Vertreter angesehen.

Die Wut-Industrie
oder: Ich bin Muslim,
also bin ich beleidigt

Wir Muslime scheinen unter der chronischen Krankheit des Beleidigtseins ernsthaft zu leiden. Kaum ein Tag vergeht, ohne dass wir der Welt zeigen, wie gekränkt und gedemütigt wir uns fühlen. Als wären die internen Probleme in den islamischen Ländern nicht Anlass genug für Ärger und Frustration, durchstöbern wir täglich die Zeitungen nach Nachrichten über eine unterdrückte muslimische Minderheit in China, Thailand oder Europa, um noch eine Bestätigung dafür zu finden, dass eine Weltverschwörung gegen den Islam im Gange sei.

Und wenn wir nichts finden, suchen wir weiter nach einem Karikaturisten, der eine Bombe im Turban des Propheten Mohamed versteckte, oder nach einem Papst, der den Islam als eine unvernünftige Religion bezeichnete, oder eben nach einem Fußballverein, der in seiner Hymne behauptet, dass der Prophet vom Fußball keine Ahnung hatte. Kurz gesagt, wir finden immer etwas, womit wir das uns liebgewordene Beleidigtsein ausleben können. Wir bewerfen westliche Botschaften mit Molotow-Cocktails, um den Vorwurf des Terrorismus gegen unseren Propheten zurückzuweisen, und reagieren unvernünftig auf die Papstrede, um zu beweisen, dass er unrecht hatte.

Eine britische Lehrerin wird im Sudan verhaftet, weil sie ihren Teddybären »Mohamed« nannte. Muslime fühlen sich von der Hymne des Fußballvereins Schalke 04 gekränkt, in der es heißt: »Mohamed war ein Prophet, der vom Fussball nichts versteht.« Die Macher der New Yorker Zeichentrick-Comedy-Serie »South Park« erhalten Morddrohungen, weil sie, um das Gesicht des Propheten nicht zeigen zu müssen, ihn in einem Teddy-Kostüm versteckt haben. In der gleichen Serie wurden Moses, Jesus und Buddha mehrfach durch den satirischen Kakao gezogen, ohne dass aus jüdischen, christlichen oder buddhistischen Reihen Proteste oder Drohungen kamen. Muslime werden sogar von der eigenen, jahrhundertealten Literatur beleidigt. So stehen die »Geschichten aus 1001 Nacht«, die große Sammlung persischer Erzählkunst, die heute weltweit zur Weltliteratur gerechnet wird, in Saudi-Arabien auf dem Index, weil sie angeblich unmoralische und erotische Passagen enthalten. Aus dem gleichen Grund reichten im Frühjahr 2010 eine Gruppe ägyptischer Anwälte, die sich »Anwälte ohne Grenzen« nennt, eine Anklage gegen Funktionäre des Kultusministeriums in Kairo ein, die den Auftrag für eine neue Auflage der »Geschichten aus 1001 Nacht« erteilten. Aber die Beleidigung scheint am köstlichsten erst dann zu schmecken, wenn sie aus dem Westen kommt.

Wenn man die Schlagzeilen einer arabischen Zeitung liest oder die Nachrichten in einem arabischen Satellitensender sieht, wird man den Eindruck nicht los, dass Muslime glauben, der Westen sei eine einzige, gleichgeschaltete Masse, die nichts anderes im Sinne habe, als

die Muslime tagaus, tagein zu ärgern. Aus der unguten
Mischung von Omnipotenzphantasien und dem Gefühl permanenter Erniedrigung entsteht eine explosive
Paranoia mit fatalen Folgen, denn nichts ist gefährlicher als ein Schwächling mit Allmachtsvisionen.

Was Muslime nicht wahrhaben wollen, ist die Tatsache, dass sie für den Westen beinahe bedeutungslos
sind. Die westlichen Staaten gehen einfach ihren Tages-
geschäften nach und kümmern sich nicht immer darum, ob sie dabei die Muslime, die Brasilianer oder die
Marsmännchen verletzen. Nur die Angst vor dem Terrorismus oder vor wirtschaftlichen Konsequenzen erweckt manchmal den Anschein von westlicher Rücksicht und Respekt gegenüber anderen Kulturen. Ausgerechnet gegenüber Diktaturen wie Saudi-Arabien
und dem Iran zeigt sich dieser Respekt sogar ziemlich
überproportional.

In der Blütezeit des Islam zwischen dem achten und
dem elften Jahrhundert war das Verfassen von häreti-
schen Texten an der Tagesordnung. Dass Alkohol ge-
trunken wurde und Frauen das Kopftuch nicht trugen,
war keine Seltenheit. Es gab damals allein in Bagdad
mehr Kneipen als heute in allen islamischen Ländern
zusammen. Muslime fühlten sich so selbstsicher, dass
antiislamische Polemiken von Christen und Juden tole-
riert wurden. Der Kalif von Bagdad organisierte sogar
regelmäßig einen Polemik-Wettbewerb, in dem Muslime, Juden und Christen in poetischen Polemiken die
Religionen der anderen kritisierten. Man könnte deshalb einen Zusammenhang erkennen zwischen dem
Selbstbewusstsein, der Tolerierung von persönlichen

Freiheiten und dem kulturellen Boom, den der Islam im Mittelalter genoss. Oder man kann im Umkehrschluss das Spüren der eigenen Stärke als Grund für diese Gelassenheit deuten. Die Dünnhäutigkeit der Muslime von heute und die Beharrung auf den religiösen Symbolen sind deshalb ein Ausdruck der Schwäche, das Ergebnis eines unzeitgemäßen Hierarchieverständnisses im Islam und führen weite Teile der islamischen Welt in eine zunehmende Isolation und verstärken ihr Gefühl der Erniedrigung. Zwischen dem Westen und der islamischen Welt findet derzeit quasi überhaupt keine gesunde Kommunikation statt.

Neben der herrschenden Terrorgefahr führen die sich im Westen seit Jahren ausbreitende Gleichgültigkeit und das chronische Beleidigtsein der Muslime zu einem Klima des Misstrauens und der Angst auf beiden Seiten. Ein Klima der Verkrampftheit und Dünnhäutigkeit hat dazu geführt, dass man Probleme nicht mehr benennen kann und sie lieber unter den Teppich kehrt. Aber dieses Klima ist auch dafür verantwortlich, dass eine Kopftuchträgerin automatisch auf eine Stufe mit Integrationsverweigerern und Terroristen gestellt wird.

Der tragische Mord an der ägyptischen Apothekerin Marwa Al-Sherbini im Dresdener Gerichtssaal Anfang Juli 2009 beschäftigte über Monate die Öffentlichkeit in Ägypten und in vielen islamischen Ländern. Sie stellten sich nicht nur die Frage, warum die deutsche Regierung auf diesen Fall zu spät reagiert hatte, sondern auch, warum keiner der Anwesenden im Saal zu Hilfe geeilt war, um der zierlichen einunddreißigjährigen Frau zu helfen, als Alex W. achtzehnmal auf sie einstach. Und warum schoss der deutsche Polizeibeamte auf Marwas Ehemann statt auf den Täter? Lag es daran, dass der Ehemann arabisch aussah und somit dem Polizisten als der wahrscheinliche Täter erschien? Die Antwort, die muslimische Intellektuelle wie der ägyptische Bestsellerautor Alaa Al-Aswani auf diese Fragen anbieten: Rassismus und Islamfeindlichkeit der Deutschen.

Meine gastfreundlichen ägyptischen Landsleute wissen nicht, dass Zivilcourage in Deutschland eine Mangelware ist. Selbst wenn das Opfer eine Deutsche gewesen wäre, wäre vermutlich keiner der Anwesenden im Saal aufgesprungen, um sie zu retten. Viele Deutsche haben sich daran gewöhnt, dass Vater Staat sich um alles kümmert. In Sachen Sicherheit kann sich niemand hierzulande auf seine Mitmenschen verlassen.

Dass der Polizist nicht auf den Täter, sondern den Ehemann des Opfers feuerte, war vermutlich auch nur ein Missverständnis, aber es geht insgesamt in diesem Fall um viel mehr als nur um ein Missverständnis. Es geht um eine lange Geschichte von gegenseitiger Angst und Misstrauen zwischen dem Westen und der islamischen Welt. Aber wer hat Schuld daran, dass dieses Klima entstanden ist? Sind es wirklich nur die westlichen Medien und Populisten wie Thilo Sarrazin, die angeblich antimuslimische Ressentiments schüren, oder tragen die muslimischen Fanatiker, die Terroranschläge verüben oder dazu aufrufen oder sie billigen, nicht ebenfalls Schuld daran? Denn auch wenn diese Medienbilder und Aussagen manchmal selektiert oder überzeichnet sind, sind sie nicht erfunden, sondern beschreiben Aspekte und Missstände des zeitgenössischen Islam, die von vielen Moslems nicht wahrgenommen werden. Man ärgert sich lieber über die »Anderen« als über sich selbst und die selbstverschuldete Misere.

Gerade in den islamischen Ländern ist man mit der wirtschaftlichen und politischen Lage höchst unzufrieden und unfähig, die Probleme aus eigener Kraft zu lösen. Sowohl die Machthaber als auch die frustrierte Bevölkerung suchen deshalb nach Sündenböcken für das eigene Elend. Die Massen gehen auf die Straße und demonstrieren fluchend »Unser Blut ist teuer«, »Tod Deutschland« und »Boykottiert deutsche Produkte«, angeblich um Solidarität mit der getöteten Ägypterin zu zeigen. Dabei handelt es sich lediglich um einen Volkszorn als Volksmedizin mit Genehmigung der Sicherheitskräfte, und das in Ländern, in denen Demonstrationen eigentlich verboten sind. Dieser energieraubende Kampf gegen Windmühlen lenkt von Reformdebatten ab und hilft den Machthabern, ihre Macht zu festigen.

Keiner dieser wütenden Demonstranten erinnerte sich daran, dass auch viele deutsche Touristen in Ägypten durch mehrere Terroranschläge ums Leben kamen, ohne dass die Deutschen danach Ägypten als ein rassistisches Land bezeichneten oder zum Boykott aufgerufen hätten. Nach jedem Terroranschlag legten Muslime viel Wert darauf zu betonen, dass es eine Einzeltat war und dass der Islam mit Gewalt und Terrorismus nichts zu tun hat. Warum bestehen sie nun darauf, den Mordfall Marwa Al-Sherbini als kollektive deutsche Schuld zu werten? Auch wenige Monate vor Marwas Tod starb in Ägypten eine siebzehnjährige französische Touristin durch einen Terroranschlag in Kairo. Auch sie war ein Opfer des islamistischen Hasses und Rassismus. Aber ihre Familie trauerte still und missbrauchte den Fall nicht für den Kulturkampf. Wer kennt schon heute den Namen dieser französischen Studentin? Wer kennt Cécile Vannier?

Im Februar 2010 wurden zwei ägyptische Emigranten unter verblüffend ähnlichen Umständen umgebracht. Der eine starb in Mailand während einer Schlägerei mit einem lateinamerikanischen Jugendlichen, der andere wurde willkürlich von einem pubertären Saudi in Saudi-Arabien erschossen. Während die emotionalen Nachrichten über den Tod des Ersteren in Mailand tagelang die Schlagzeilen in Ägypten bestimmten, wurde über den Tod des anderen kaum berichtet. Nur zwei oder drei Zeitungen schrieben wenige Zeilen über den tragischen Fall, ganz versteckt, als schämten sie sich, Saudi-Arabien mit einem Mord in Verbindung zu bringen, schrieb der ägyptische Journalist Hamdy Al-Husseini über die Doppelmoral der Medien. Es schien, als spielte der Tote in beiden Fällen eine Nebenrolle, wichtig sei dagegen lediglich die Frage, wo und durch wen er ums Leben kam. Auch die Vergeltungsaufrufe gingen nur in Richtung Italien, über den Toten von Saudi-Arabien wurde kaum getrauert. Dieses Interesse für den Toten in Europa kam nicht nur aus den Medien, sondern auch aus der Politik. Der Präsident des Senats erschien nur in dem einen Fall persönlich bei der Überführung des Toten nach Ägypten.

Auch Muslime in Deutschland versuchten, aus dem

Mordfall Marwa Al-Sherbini Kapital zu schlagen. Zahlreiche muslimische Würdenträger kamen zur Eröffnung des Prozesses in Dresden. Man wollte auf das
schon ohnehin stark strapazierte, vereiterte deutsche
Gewissen drücken. Eine Muslimin ist in Deutschland
umgebracht worden, jetzt fehlen uns nur noch 5 999 999
Opfer, um mit den Juden gleichgesetzt zu werden.

Ja, man wird den Eindruck nicht los, dass viele
muslimische Intellektuelle in Europa, wie etwa der
Schweizer Islamwissenschaftler Tariq Ramadan, unter
Holocaustneid leiden. Sie lassen keine Gelegenheit
aus, die Situation der Muslime in Europa heute mit
der Lage der europäischen Juden im neunzehnten Jahrhundert oder sogar im Dritten Reich zu vergleichen.
Viele versuchten nun, den Fall der »Kopftuchmärtyre-
rin« zu instrumentalisieren, um die Meinungsfreiheit
im Westen zu beschneiden und Islamkritik zu unterbinden.

In Dresden wollten die Muslime angeblich nur Solidarität mit dem Opfer, mit ihrer »Schwester«, zeigen.
Aber wo ist diese Solidarität mit Muslimen, die täglich
durch Terroranschläge in Pakistan und Irak ums Leben
kommen? Wo war diese Präsenz der Muslime im Mordfall Hatun Sürücü, die im Namen der Ehre vom eigenen Bruder vor einigen Jahren mitten in Deutschland
ermordet wurde? War sie nicht auch ihre »Schwester«?
War das nicht auch ihr Blut? Oder ist das muslimische
Blut nur teuer, wenn Fremde es vergießen? Oder ist das
Kopftuch die trennende Linie zwischen teurem und
billigem Blut?

Das Opfer von Dresden, Marwa Al-Sherbini, glaubte an die deutsche Justiz, ihr Mörder nicht. Der 28-jährige Russlanddeutsche verkroch sich in sein enges hasserfülltes Weltbild und spann seine Verschwörungstheorien. Er war nicht in der Lage, sich mit seiner eigenen Unfähigkeit zu konfrontieren und projizierte sie auf andere; eine Geschichte, die wir tausendfach aus den Lebensläufen islamistischer Fanatiker kennen. Die vielen Muslime, die mit ihren Demonstrationen Marwa ehren wollten, sind nicht wie sie den Weg der Gerechtigkeit gegangen, sondern ahmten in Wirklichkeit nur ihren Mörder nach und lebten wie er in einer Welt voller Hassparolen und Verschwörungstheorien.

Bald bekam der Täter seine gerechte Strafe, und wir alle haben Marwa und ihren Fall beinahe vergessen. Die Deutschen kehrten zu den langweiligen Diskussionen über Steuersenkung und den Untergang der SPD zurück, und Muslime werden irgendwann ein neues Opfer finden, das sie beweinen können. Dann werden sich die üblichen Verdächtigen Wolfgang Bosbach, Otto Schilly und Cem Özdemir wieder bei Anne Will treffen, um uns zu erklären, was bei der Integration schiefläuft. Bosbach wird wiederholen, dass Ausländer anständig Deutsch lernen sollten, und Otto Schilly wird Beispiele für gelungene Integration aufzählen. Eine wütende Islamkritikerin wird die Türken für alles verantwortlich machen, und ein türkischer Beschwichtigungsromantiker wird ihr die Grünen-Multikulti-Hymne als Gegenargument singen. Das deutsche Publikum wird sich wie immer amüsieren und danach ins Bett gehen, ohne zu verstehen, was los ist.

Und immer wenn du denkst, es geht nicht mehr,

schwadroniert von irgendwo ein Sarrazin her. Und es werden immer mehr Sarrazine. Denn der Bundesbanker ist nicht das Problem, sondern er ist lediglich ein Ausdruck davon, dass wir ein Problem haben. Er ist der Überbringer der Botschaft, dass bei uns eine verkrampfte Streitkultur herrscht. Letzten Endes liegt die Ursache von Debatten, die Thilo Sarrazin ausgelöst hat, oder von Taten wie dem schrecklichen Mord an Marwa darin, dass in Deutschland und ganz Europa keine differenzierte Debatte über den Islam und die Migration geführt wird. Auf diese Weise gelingt es Populisten auf beiden Seiten, die Sache aufzugreifen und zu überspitzen. Es fehlt eine Atmosphäre, in der ehrliche Kritik zulässig ist und die frei ist von Stimmungsmache, Apologetik und Überempfindlichkeit.

Für mich persönlich stellt Islamkritik in der heutigen Zeit einen Ausdruck von »Humanismus« dar, denn der Islam schadet sich selbst, seinen Anhängern und dem Rest der Welt. Der Islam hat in erster Linie ein Problem mit sich selbst und mit der Interpretation seiner Rolle in der modernen Welt. Ihm läuft die Zeit davon, uns läuft die Zeit davon. Um dieser Talfahrt des Islam zu begegnen, braucht man deutliche, manchmal auch harte Worte. Man braucht Kritik. Diese Kritik ist aber viel zu wichtig, um sie der Polemik zu überlassen. Sie ist viel zu wichtig, um sie in Emotionen zu verwandeln. Das Projizieren der eigenen Ängste auf den jeweils anderen hilft nicht, sondern verschärft lediglich den Konflikt. Vielleicht kann ein Gespräch mit jemandem, der anderer Meinung ist als man selbst, lehrreich sein. Man sollte dabei die eigenen Emotionen und Ängste mög-

lichst beiseitestellen. Und wenn uns die westliche Islamkritik allzu sehr polemisch erscheint, sollten wir,
die Muslime, das Heft in die Hand nehmen und diese
Kritik selbst üben.

Der Karikaturenstreit
oder: Ein Gespräch mit
einem Ketzer

Der 30. September 2005 war ein besonderer Tag in meinem Leben. An diesem Tag feierte ich Hochzeit mit meiner halbdänischen Frau in Ägypten, nicht ahnend, dass am gleichen Tag in ihrer Geburtsstadt Kopenhagen etwas geschah, was ein neues Kapitel im Kulturkampf zwischen Ost und West aufschlagen würde. Denn an jenem Tag veröffentlichte die dänische Zeitung »Jyllands-Posten« zwölf Karikaturen, die wenige Wochen später Muslime in aller Welt in Rage versetzten.

Meine Familie, die zu meiner Frau immer herzlich war, regte sich über ihr Land auf und fühlte sich verletzt. Die dänischen Verwandten meiner Frau waren über die aufgebrachten Muslime empört, die als Reaktion auf die Zeichnungen dänische Einrichtungen weltweit angriffen und die dänische Flagge verbrannten. Einhundertfünfzig Menschen kamen damals bei den Unruhen ums Leben. Die Ost-West-Beziehung stand einmal mehr vor einem Scherbenhaufen, und der Kulturkampf war bis in mein Wohnzimmer vorgedrungen. Obwohl ich zu diesem Zeitpunkt kein strenggläubiger Muslim mehr war, empfand ich manche der Karikaturen als beleidigend und sympathisierte mit meiner ägyptischen Familie und mit meinen Landsleuten. Ich

sah damals keinen Sinn in den Zeichnungen außer der
reinen Provokation und einen Mangel an Respekt. Vier
Jahre später war ich in der dänischen Hauptstadt und
entschloss mich, etwas zu tun, was kein Araber vor mir
getan hat. Ich wollte mit dem Mann persönlich sprechen, der die Mohamed-Karikaturen in Auftrag gegeben hat.

Flemming Rose ist der Kulturredakteur von »Jyllands-Posten«. Man kennt den Namen in der arabischen Welt, aber nicht den Menschen. Man redet und
schreibt über ihn, über seine teuflische Tat, aber man
fragt ihn nicht, was er damit beabsichtigte. Und das
wollte ich tun.

Ich erwartete einen seriösen Mann in Polizeibeglei-
tung. Auf einem Fahrrad kam ein sportlich gekleideter,
relativ junger Mann mit einem freundlichen Blick.

Wir saßen in einem Café und unterhielten uns. Auf
meine Frage, ob er je mit einem arabischen Journalisten
geredet hätte, erwiderte er in einem leisen, schüchter-
nen Ton: »Nur einmal wollte einer mich zu den Karikaturen interviewen, aber das Ganze fing mit einer Mo-
ralpredigt von ihm an, so dass ich das Gespräch danach
beenden musste.« Genau das wollte ich nicht. Ich wollte ihn verstehen. Flemming Rose lud mich zu einem
zweiten Gespräch in sein Büro in der Innenstadt, und
dieses verlief so:

*Hamed Abdel-Samad: Herr Rose, manche in Europa
nennen Sie einen Fundamentalisten der Pressefreiheit,
trifft diese Beschreibung auf Sie zu?*
Flemming Rose: Es war der damalige deutsche Au-

ßenminister Joschka Fischer, der mich so nannte, nachdem die Mohamed-Karikaturen in unserem Blatt veröffentlicht worden waren. Einige Zeitungen, die gegen die Veröffentlichung der Karikaturen waren, übernahmen dann diese Bezeichnung. Ja, ich bin ein Freiheitsfanatiker, aber vielleicht nicht, wie die linke Presse das versteht. Ich verteidige kompromisslos die Meinungsfreiheit, weil ich der festen Überzeugung bin, dass Gewalt da beginnt, wo Worte fehlen.

Aber kann Meinungsfreiheit grenzenlos sein?
Natürlich nicht, es gibt nichts, das keine Grenzen hat. Wir brauchen Grenzen, aber wir haben, wie ich finde, viel zu viele davon im Moment in Europa. Wir haben viele Tabus und viele rote Linien, und viele missbrauchen diese Tabus, um andere mundtot zu machen. Und ich sehe die Karikaturen-Affäre als einen Anfang, um über diese Problematik zu verhandeln. Ich habe sie immer als Indikator gesehen, der uns gezeigt hat, in welchem Zustand sich die Pressefreiheit und die Selbstzensur in Europa befinden.

Wie können wir den Widerspruch von Meinungsfreiheit und Respekt vor religiösen Gefühlen auflösen? Wer hat das Recht, rote Linien zu definieren, und wer hat das Recht, sie zu eliminieren?
Wir können miteinander einen Deal abschließen: Sie respektieren alles, was mir heilig ist, und kritisieren es nicht, und ich tue das Gleiche mit Ihren Heiligtümern. Das mag in der Theorie wunderbar funktionieren, in der Realität ist es aber beinahe unmöglich, denn wir le-

ben in multireligiösen und multikulturellen Gesellschaften, und wenn jeder darauf besteht, dass seine heiligen Symbole unantastbar bleiben, dann kann kein
Mensch mehr etwas sagen oder schreiben. Und oft
werden die religiösen Gefühle als Mittel der Einschüch-
terung und Erpressung missbraucht, und dagegen weh-
re ich mich. Wenn wir miteinander auf eine natürliche
Weise leben wollen, dann brauchen wir weniger rote
Linien und nicht noch mehr davon. Und gerade Sie als
Ägypter wissen, wie Ihr Präsident die roten Linien
missbraucht, um seine Gegner zum Schweigen zu bringen. Sie kennen bestimmt den Aktivisten Saad El-Din
Ibrahim, der Gefängnis und Exil erleiden musste, weil
er angeblich Ägyptens Ruf im Ausland beschädigt hat.

*Sie sagten, Gewalt beginnt, wo Worte fehlen. Was ist
mit Worten, die zur Gewalt führen? Immerhin haben
die Karikaturen einhundertfünfzig Menschen das Leben gekostet.*
    Die Lösung kann niemals in Gesetzen gegen die Be-
leidigung der Religionen liegen, sondern darin, dass die
Betroffenen lernen sollten, mit ihren Emotionen anders
umzugehen. Sie können nie kontrollieren, wie andere
sich äußern, aber Sie können wohl ihre Reaktion darauf
bändigen.

*Und was ist mit Worten, die zur Gewalt oder Rassismus
aufrufen? Hassprediger ist ein Begriff, der Ihnen geläu-
fig sein muss. Sie gelten ja für viele als einer!*
    Auch da sehe ich keine Notwendigkeit von Anti-
Hass- oder Anti-Diskriminierungsgesetzen. Wir müs-

sen immer zwischen Worten und Taten unterscheiden. Ich gebe Ihnen ein Beispiel: Nachdem wir die Karikaturen veröffentlicht haben, stand eine Gruppe muslimischer Demonstranten vor der dänischen Botschaft in London mit einem Plakat, worauf geschrieben war: »Behead those who insult Islam«, köpft die, die den Islam beleidigen. Aus meiner Sicht dürfen sie das machen. Aber wenn einer von ihnen dies in die Tat umsetzt oder einen Molotow-Cocktail auf die Botschaft wirft, was oft der Fall war, dann muss er dafür juristisch verfolgt werden. Für mich gibt es nur drei Grenzen der Meinungsfreiheit, und sie sind alle in Europa strafbar: Erstens den direkten Aufruf zum Mord, wie zu sagen, geh und töte Abdel-Samad! Zweitens die Beschimpfung oder Diffamierung eines Menschen durch Lüge. Und drittens die Verletzung der Persönlichkeitsrechte. Alles andere muss man über sich ergehen lassen.

Nach dieser Logik müssen Sie ja auch gegen die juristische Verfolgung von Menschen sein, die den Holocaust leugnen?

Ja, ganz genau. Ich habe das sogar in Israel gesagt und habe dadurch keine Freunde gewinnen können. Aber ich glaube, wir brauchen keine Gesetze gegen Gesinnungen oder Lesarten der Geschichte. Aber wenn ein Holocaust-Leugner einen Holocaust-Überlebenden als Lügner bezeichnet, dann gilt das als Diffamierung, die strafrechtlich verfolgt werden kann. Und nur nebenbei: Ich bin nicht Jude, wie einige aufgrund meines Namens vermuten.

Lassen Sie uns zu den Karikaturen zurückkehren. Woher kam die Idee dafür und was waren Ihre Motive, sie zu veröffentlichen?

2005 schrieb ein dänischer Schriftsteller namens Kåre Bluitgen ein Kinderbuch über den Propheten Mohamed und war auf der Suche nach einem Karikaturisten, der einige Zeichnungen des Propheten für sein Buch fertigen sollte. Aber scheinbar hatten die dänischen Karikaturisten Angst vor diesem Job, denn ein Jahr davor wurde der niederländische Filmemacher Theo van Gogh von einem muslimischen Fanatiker wegen eines Films ermordet, der Passagen aus dem Koran auf dem Körper einer nackten Frau zeigte. Es gab sonst mehrere Fälle, in denen Künstler und Schriftsteller in Dänemark und europaweit ihre islambezogenen Werke aus Angst vor gewalttätigen Reaktionen seitens der Muslime zurückgehalten bzw. zurückgenommen haben. Ich persönlich wusste nicht, ob es sich bei diesen Fällen immer um Selbstzensur aus Angst handelte oder nicht, und ich wollte testen, wie die Stimmung in Dänemark wirklich ist. Und so kam die Idee der Karikaturen.

Das heißt, es handelte sich um ein Experiment?

Ich würde es lieber investigativen Journalismus nennen, eine langfristige Beobachtung der Lage und der Gemüter. Es gibt ein Prinzip in unserem journalistischen Betrieb, das heißt: »Sag mir die Wahrheit nicht, zeig sie mir!«

Und was hat die Veröffentlichung der Karikaturen gezeigt?

Die Karikaturen haben keine neue Situation geschaffen, sondern uns die aktuelle Lage klarer gemacht, und zwar dass es Misstrauen und Spannungen auf beiden Seiten gibt und dass sich Meinungsfreiheit zugunsten einer Appeasementpolitik zurückzieht. Es handelte sich in der Tat um Selbstzensur aus Angst vor Islamisten. Und diese Angst war offensichtlich nicht ohne Grund, denn die Reaktionen auf die Karikaturen in der muslimischen Welt waren unverhältnismäßig gewalttätig.

Waren Sie von diesen Reaktionen wirklich überrascht?

Die ganze Welt war ja überrascht. Und diese Reaktionen waren keinesfalls spontan, wie viele behaupten, es steckten politische Strategien und systematische Manipulation dahinter. Und ich darf daran erinnern, dass die Demonstrationen nicht unmittelbar nach der Veröffentlichung erfolgten, sondern nachdem dänische Imame mit den Karikaturen in der islamischen Welt auf Tour waren und sich dort bei der Obrigkeit über die schlechte Behandlung der Muslime in Dänemark beschwert hatten, was einfach nicht wahr ist. Übrigens haben sie auch andere schlimme, aber unechte Karikaturen dort vorgeführt, die nicht aus unserer Zeitung stammten, um für mehr Empörung zu sorgen. Also, es war eine wohlüberlegte Aktion.

Apropos wohlüberlegte Aktionen und politische Strategien: Böse Zungen behaupten, die Veröffentlichung der Karikaturen war Teil eines Plans des Weißen Hauses,

*und die Theorie geht so: Georg Bush brauchte vom
Kongress mehr Geld für seinen Patriot Act II im Rahmen des Anti-Terror-Kampfs und stieß bei den Abgeordneten auf Ablehnung. Und so brauchte man die In-
szenierung einer Krise, die zeigen sollte, dass Amerika
in Gefahr ist, deshalb kam die Idee mit den Karikaturen. Beflügelt wurde diese Behauptung durch Ihre
Anwesenheit in Washington vor und nach dem Kari-
katurenstreit. Sie haben bestimmt Argumente, die das
widerlegen.*

Wissen Sie, es gibt Menschen, die nichts Besseres
können, als Verschwörungstheorien in die Welt zu setzen, einfach weil sie dialogunfähig sind. Es ist richtig,
dass ich Ende 2004 in Amerika war, aber das war, um
im Rahmen meiner Arbeit über die US-Wahlen zu berichten. Auch nach den Karikaturen war ich in Washington, um der Aufregung nach den Unruhen ein
wenig fernzubleiben. Ich bin gerne in Washington, dort
habe ich schließlich drei Jahre lang als Korrespondent
der dänischen Zeitung »Berlingske Tiendede« gearbei-
tet.

*Vor den Karikaturen war das Bild Dänemarks in der
islamischen Welt als liberales und neutrales Land sehr
positiv. Finden Sie nicht, dass Sie dem Ruf Dänemarks
mit der Veröffentlichung der Karikaturen weltweit geschadet haben?*

Vielleicht hatte die Welt einfach ein falsches Bild von
Dänemark, auch wir Dänen hatten früher unsere Zeige-
finger auf Frankreich und Deutschland gerichtet und
ihre Einwanderungspolitik kritisiert. Nun wurde auch

uns klar, dass auch wir diesbezüglich unsere Hausaufgaben nicht gemacht haben. Die Karikaturen haben gezeigt, dass wir keine vorbildliche Gesellschaft sind, wie wir uns gerne sehen wollen, und dass vor uns eine Menge Arbeit in Sachen Migration und Integration liegt.

Wie ist das Zusammenleben zwischen Dänen und muslimischen Einwanderern in Dänemark nach den Karikaturen?

Im Gegensatz zu Frankreich, Großbritannien und den Niederlanden hat Dänemark keine koloniale Geschichte, und so ist die Erfahrung mit Emigranten den meisten Dänen neu. Auch viele Muslime, die hier leben, sind nicht wie in anderen Staaten als Gastarbeiter, sondern als Flüchtlinge gekommen und haben massive Schwierigkeiten, sich im Bildungssystem und auf dem Arbeitsmarkt zu integrieren. Abgesehen von den vorher erwähnten Imamen, reagierten die meisten Muslime Dänemarks relativ besonnen auf die Karikaturen. Aber die Spannung ist da, und die Lücke zwischen den autochthonen Dänen und den Migranten ist nun deutlicher geworden, und ich hoffe, dass die Karikaturen ein Anlass dafür waren, dass nun ein offener Dialog stattfindet, der darauf abzielt, diese Probleme zu lösen.

Haben Sie manchmal Angst?

Nein, habe ich nicht. Und der Beweis dafür ist, dass ich nicht unter Polizeischutz stehe, wie viele mir raten. Aber meine Frau hat Angst, und das verstehe ich.

Herr Rose, waren Sie jemals in einem arabischen Land?
Ja, einmal war ich in einer Blogger-Konferenz in Qa-
tar. Es war eine sehr interessante Erfahrung.

Sollten Sie eine Einladung bekommen, in Kairo eine
Rede zu halten, um Ihre Sicht der Dinge darzulegen,
würden Sie sie annehmen?
Jederzeit gern.

Es war für mich schwer vorstellbar, dass dieser schüchterne und sachliche Däne mit dem Dauerlächeln vier
Jahre zuvor beinahe den Ausbruch des dritten Welt-
kriegs provoziert hätte. Mir gefielen die Karikaturen
nicht, seine Argumente dafür so sehr, dass ich das Interview in Ägypten veröffentlichen wollte. Jetzt verstand ich, was Voltaire über die französische Krankheit
Intoleranz sagte. Meine Haltung zu Flemming Rose
war von Voltaire inspiriert: Ich mag deine Karikaturen
nicht, aber ich würde mein Leben dafür geben, dass du
veröffentlichen darfst, was du willst. Ich schickte den
Text der liberalen ägyptischen Zeitung »El-Youm El-
Sabei«, wo ich eine regelmäßige Kolumne habe, und
sorgte dadurch für einen Konflikt in der Redaktion.
Obwohl die Zeitung sich Freiheit von der Zensur auf
die Fahne schrieb, war der Inhalt des Interviews für sie
nicht tragbar. »Dieser Mann klingt so vernünftig«, sagte mir der Kulturredakteur der ägyptischen Zeitung,
der eher einen hasserfüllten dänischen Journalisten erwartet hatte. Er hatte Angst, dass diese Art des Dialogs
bei den Ägyptern nicht gut ankommen würde. Doch
mich wollte er als Kolumnisten nicht verlieren, denn

ich hatte, als ich aufgefordert wurde, für die Zeitung zu schreiben, darauf bestanden, dass meine Texte nicht zensiert werden. Wir schlossen einen Kompromiss, nämlich dass das Interview nach Ablauf des Fastenmonats Ramadan auf der Webseite der Zeitung erscheint, um die Gefühle der Gläubigen nicht zu verletzen. Ich willigte ein, immerhin wird die Seite drei Millionen Mal am Tag aufgerufen. Als das Interview endlich auf der Hauptseite des Portals stand, war es eine Stunde lang zu lesen, danach verschwand es wieder. Die ersten Kommentare zeigten, wie explosiv die Stimmung unter den Lesern war. In einem an Rose gerichteten Kommentar stand: »Denk zweimal nach, bevor du nach Ägypten kommst, denn sollte ich dich hier erblicken, werde ich deine Leber mit meinen Zähnen fressen!«

Als ich mich bei dem Kulturredakteur über das Verschwinden des Interviews beschwerte, behauptete er, es handele sich um einen technischen Fehler. Einen Tag später verlegte er es auf eine versteckte Seite, bevor es endgültig verschwand. Am Ende blieb ihm nur eine Entschuldigung übrig: »Es tut mir leid, es liegt nicht in meiner Hand.«

Keine Revolution, nirgends
oder: Das muslimische Gottesbild und
die Herrschaftstreue

Die englische, die französische und die russische Revolution waren erfolgreich, weil sie die Bevölkerungen gegen die herrschenden Systeme mobilisieren konnten. Da die Mehrheit der Bevölkerung in den drei Fällen Bauern und einfache Arbeiter waren, waren sie vom System unabhängig und konnten es deshalb stürzen. Herrscher und Untertanen lebten in zwei getrennten Welten, und das machte die Revolte erst möglich. Zu einer deutschen Revolution kam es 1918 zwar, aber diese konnte breite Teile der Bevölkerung nicht erfassen, da die deutsche Gesellschaft zu urbanisiert war und die Bourgeoisie stark abhängig war von den Infrastrukturen des Systems.

Ähnlich verhält es sich mit vielen islamischen Staaten und ihren Herrschaftssystemen. Nicht nur weil die Machthaber dort die Kontrolle über Armee, Geheimdienst, Polizei und Medien ausüben; nicht nur, weil der Staat der größte Arbeitgeber ist und das Monopol für die elementaren Konsumgüter wie Brot und Benzin hat, Muslime sind überall nicht nur abhängig vom System Staat, sondern auch vom Glaubenssystem Islam. Und diese beiden bilden seit dem dreizehnten Jahr der Existenz des Islam eine Einheit. Herrscher und Untertanen sind gleichermaßen dieser Einheit ausgeliefert.

Beide verkörpern eine Geisteshaltung, die die Autorität vergöttlicht und die Revolution verpönt.

Der Prophet Mohamed war ein Einzelgänger, hatte eine gewisse Sensibilität für soziale Fragen und wollte eine gesellschaftliche Revolution entfesseln. Er war mit den heidnischen Ritualen und der Vielgötterei in seiner Geburtsstadt Mekka Anfang des 7. Jahrhunderts nicht einverstanden. Er träumte davon, den Glauben an den einen Gott in Arabien einzuführen und die Götzenbilder, die die heilige Kaaba umzingelten, zu beseitigen. Inspiriert dazu wurde er von den christlichen und jüdischen Geistlichen, die er auf seinen vielen Reisen als Karawanenhändler traf. Aber besonders beeinflusst wurde er zunächst durch einen christlichen Mönch in Mekka namens Waraqa, der ein Cousin von Mohameds erster Frau Khadija war. Erstaunlich wenig finden wir über diesen Mönch in der Biographie des Propheten, obwohl er anscheinend eine zentrale Rolle in seinem Leben spielte. Diese Biographie, über hundert Jahre nach dem Tode des Propheten von Ibn Ishaq geschrieben, listet sonst ausführlich Details auf über jede Person, die auch nur eine untergeordnete Rolle in der frühen Phase des Islam spielte. Aber Waraqa scheint sie bewusst zu umgehen. Dennoch wirft das, was über Waraqa dort steht, viele Fragen über die Entstehung des Korans und die Ambitionen des Propheten auf. Denn es war Waraqa gewesen, der Mohamed mit seiner Khadija verheiratete, und er war es, der Mohamed davon überzeugte, dass er der Prophet dieser Zeit sei, nachdem dieser Visionen über ein Gespräch zwischen ihm und dem Erzengel Gabriel in einer Höhle außer-

halb von Mekka gehabt hatte. In Wirklichkeit sagt uns
das, was über Waraqa verschwiegen wurde, mehr als
das, was in der Biographie steht. Denn *kein* Text ist
auch *ein* Text.

Ein Forscher aus dem Libanon, der unter dem Pseudonym Abu Mousa Al-Hariri schreibt, veröffentlichte
vor wenigen Jahren ein Buch mit dem Titel »Ein Mönch
und ein Prophet«, das mittlerweile im Libanon verboten ist. Für ein Exemplar dieses Buches musste ich
während eines Libanonaufenthalts mehr als einhundert
US-Dollar bezahlen. In diesem Buch wagt der Autor
die These, der alte Mönch Waraqa hätte ein arabisches
Christentum unabhängig vom hellenisierten Christentum Roms und Alexandriens gründen wollen. Er glaubte, dass Jesus nicht der Sohn Gottes war, und war dabei,
ein hebräisches Evangelium ins Arabische zu übersetzen, das von den anderen Evangelien deutlich abweicht.
Waraqa wollte ein neues arabisches Christentum be-
gründen. Ihm fehlten aber das Charisma und die Energie, darüber hinaus war er vermutlich zu alt. Charisma
und Energie fand er beim ehrgeizigen und jungen Mohamed, der einen Ruf als aufrichtiger Mann und begna-
deter Redner genoss. Die Visionen des alten Mönches,
so Al-Hariri, vermischten sich mit denen des jungen,
und so taten es auch die Texte. Aus dieser Verschmelzung sei der Koran, zumindest in Teilen, entstanden.

Seine These stützt eine einzige Stelle aus dem Werk
eines früheren muslimischen Hadith-Sammlers namens
Al-Bukhari, der schreibt: »Dann starb Waraqa, danach
hörte die Offenbarung auf.« In der Tat berichtet der
Koran von einer langen Periode der Unterbrechung der

Offenbarung, die den Propheten in eine Phase der Depression und Verzweiflung stürzte, dachte er doch, Gott habe ihn verlassen. Auch eine deutsche philologische Studie, ebenfalls von einem unter Pseudonym, Christoph Luxenberg, schreibenden Libanesen verfasst, geht davon aus, dass der arabische Korantext viele syroaramäische Worte enthält, die unter arabischen Christen und in christlichen Liturgien bekannt waren. Manche dieser Worte würden von Arabern nicht verstanden und deshalb falsch übersetzt. Das berühmteste Beispiel hierfür liefert Luxenberg mit dem Wort *huri,* das im Arabischen als die Jungfrau, die der gläubige Mann im Paradies zur Belohnung bekommt, falsch übersetzt wird. Im Syroaramäischen bedeutet *huri* weiße Trauben. Pech für die Selbstmordattentäter, die sich zweiundsiebzig Stück davon erhoffen. Auch Luxenberg geht davon aus, dass dem Koran ein christlicher Urtext als Grundlage vorlag.

Abgesehen von den beiden Thesen, die vielen Muslimen nur als »Da Vinci Code«-Imitate vorkommen, bleibt es eine Tatsache, dass der Koran nicht im luftleeren Raum entstanden ist. Er wurde gewiss von seiner Umgebung beeinflusst und war eine Antwort auf ihre spezifischen Bedürfnisse. Und fest steht, dass der Koran in der Tat in Mekka, zumindest in den ersten Jahren, eher christlich ausgerichtet war, sprach von Nächstenliebe und Geduld und war Christen gegenüber, besonders Mönchen, sehr positiv eingestellt. Mohamed hatte als Wanderprediger zu dieser Zeit nie von Geboten oder Verboten geredet, sondern von Glauben, Bewunderung der Schöpfung und der Einheit Gottes. Auf

Anfeindungen reagierte er eher tolerant. Als seine Anhänger ihn fragten, warum er Menschen, die ihn kränken, gut behandle, sagte er: »Vielleicht werden ihre
Nachkommen an Allah glauben.« Zu dieser Zeit nannte
er Juden und Christen Gläubige. Den Polytheisten von
Mekka bot er sogar an: »Euch euern Glauben, und mir
meinen Glauben.« Doch mit dieser Haltung war er er-
folglos. Nach dreizehn Jahren war die Zahl seiner Anhänger sehr gering. Die meisten von ihnen waren Arme
und Sklaven.

Dies sollte sich ändern, als Mohamed von Mekka
nach Medina zog. Dort errichtete er eine Gemeinde
nach dem Modell der dort seit Generationen lebenden
jüdischen Stämme. War der Islam in Mekka christlich,
so wurde er in Medina jüdisch. Dort entdeckte man die
Vorzüge des Gesetzes und der religiösen Rituale. In
Medina wurde die erste Moschee des Islam errichtet.
Die Juden in Medina lebten nach dem jüdischen Gesetz
Halakhah הלכה, was »der Weg« bedeutet. Das war die
Vorlage für ein Wort, das bis heute die Welt in Atem
hält, nämlich *Scharia*. Auch dieses Wort bedeutet ganz
zufällig »der Weg«. Wie die Juden fingen die Muslime
an zu fasten und wählten Jerusalem als ihre Gebetsrichtung. Ebenfalls nach jüdischem Vorbild verbot Mohamed seinen Anhängern den Verzehr von Schweinefleisch und den Geschlechtsverkehr mit der Ehefrau
während der Menstruation. Auch die Bestrafung der
Ehebrecher durch Steinigung im Islam ist auf die jüdische Tradition zurückzuführen. In Medina entstand
eine Ideologie der Reinheit.

Dadurch wollte Mohamed den Juden entgegenkommen, damit sie ihn als Propheten anerkennen, was seiner Bewegung einen gewaltigen Schub bei der Islamisierung Arabiens gegeben hätte. Doch die in Medina lebenden jüdischen Gemeinschaften blieben auf Distanz zu ihm und verbündeten sich sogar, laut der islamischen Historiographie, mit Mohameds Feinden aus Mekka, die ihn vertrieben hatten. Spätestens da kam es zu einem Paradigmenwechsel. Zunächst verbot Mohamed seinen Anhängern Alkohol und Wucherei, um zum einen die Unabhängigkeit der jungen muslimischen Gemeinde zu garantieren und zum anderen um die Alkohol- und Geldleihe-Geschäfte der Juden zu beschädigen. Plötzlich wurde die Sprache des Koran Juden gegenüber sehr polemisch und feindselig. Nachdem sie zunächst »gläubige Leute des Buches« genannt worden waren, wurden sie nun »Verfälscher des Buches«. Die Feinseligkeit steigerte sich dermaßen, dass der Koran die Juden Kinder der Affen und Schweine nannte. Drei Stämme wurden aus Medina verbannt, der vierte wurde des Hochverrats beschuldigt, auf ein Urteil eines Gefährten Mohameds hin wurden mehr als sechshundert kampffähige Männer des Stammes massakriert. Medina war frei von Juden, und die Gebetsrichtung wurde von Jerusalem nach Mekka verlegt. Damit begann das Unternehmen »Säuberung Arabiens«. Die Halbinsel sollte von allen Ungläubigen befreit sein, um als Basis für das islamische Reich, das expandieren sollte, zu dienen. Dies war die zweite Saat des Untergangs der islamischen Kultur: der Reinheitswahn.

Mit seinen Anhängern ging Mohamed aber nie wie ein Diktator um. Er praktizierte mit ihnen das altarabi-

sche Prinzip der Schura, der Stammesberatung. Aber
sie fragten ihn zu allen Belangen des Lebens und erwar-
teten von ihm Koranpassagen oder ein religiöses Gutachten als Antwort. Daraus entstanden neue Suren, die
sprachlich und inhaltlich ganz anders sind als die Suren
von Mekka. In Medina waren die Suren meist konkret,
belehrend und konfliktbetont. Aus den Hadithen (den
außerkoranischen Aussagen des Propheten) ist die
größte Gebrauchsanweisung der Geschichte entstanden. Gebote, Verbote und Empfehlungen, die einen
Muslim vierundzwanzig Stunden täglich und in jeder
Lebenssituation begleiten. Das macht es vielen Muslimen bis heute schwer, den Gedanken der Säkularisierung nachzuvollziehen. Im Gegensatz zu Jesus, der nur
wenige Monate als Privatprediger unterwegs war, währ-
te Mohameds herrscherliche Präsenz dreiundzwanzig
Jahre, in denen er die Funktionen als Gesetzgeber,
Richter, Feldherr und noch dazu als Prophet erfüllte.
Jesus musste sich nie um die materiellen Belange einer
großen Gemeinde kümmern, deshalb fiel es ihm nicht
schwer zu sagen: »Gib dem Kaiser, was des Kaisers ist,
und gib Gott, was Gottes ist.« Mohamed konnte so etwas nicht sagen, da er Kaiser und Postbote Gottes zugleich war. Die ersten Christen sammelten eine lange
Erfahrung als kleine Minderheit, ehe das Christentum
drei Jahrhunderte später Staatsreligion des Römischen
Reiches wurde. Muslime kamen hingegen sehr früh an
die Macht und kannten, mit wenigen Ausnahmen, in
ihrer Geschichte die Situation der Minderheit nicht.
   Der Islam wurde auf fünf Säulen errichtet: erstens
auf einer enthellenisierten Form des Christentums,

zweitens auf der jüdischen Gesetzlichkeit, drittens auf den altarabischen Stammesstrukturen, viertens auf dem Koran und fünftens auf dem Dschihad. Vom Christentum und vom Judentum emanzipierte sich Mohamed schon zu Lebzeiten, von den archaischen Denkstrukturen des alten Arabiens und von der Dschihadideologie des Korans konnte sich seine Gemeinschaft bis heute aber nicht lösen. Die Vision des christlichen Mönchs war gescheitert. Die Araber ticken eben anders. Das schien Mohamed begriffen zu haben. Die Verlegung der Gebetsrichtung nach Mekka war auch eine Rückkehr zu einer alten Vision seines Urgroßvaters, des Gründers des Stammes der Hashemiten.

Mekka lag auf dem Handelsweg zwischen Damaskus und dem Jemen. Im Zentrum der Stadt lag die Kaaba als pluralistisches religiöses Zentrum Arabiens. Jeder Stamm durfte seine Gottheit in oder um die Kaaba herum aufstellen und besuchte sie während der Handelssaison. Auch Christen durften Bilder von Jesus und Maria sogar innerhalb der Kaaba aufhängen. Eine Toleranz, die der Stadt später fremd wurde. Der Stamm des Propheten hatte traditionell die Aufgabe, die Pilger zu bewirten, was eine große Ehre darstellte. Schon vor Mohameds Geburt wollte sein Großvater die zerstrittenen arabischen Stämme einen und ein großarabisches Reich mit der Kaaba als religiösem Zentrum gründen. Laut dem ägyptischen Historiker Sayyed El-Qimni verbündete sich der Großvater des Propheten mit den arabischen Stämmen von Medina, die vor Mohameds Auswanderung Yathrib hießen, aber der Großvater starb, bevor er sein Vorhaben verwirklichen konnte.

Sein Enkel Mohamed sollte von den frühen Allianzen
seines Großvaters in Medina nun profitieren. Nach
dem Tod des Mönchs Waraqa und nach dem Scheitern
der Allianz mit den Juden kam es zu einer Kehrtwen-
de in der Strategie des Propheten. Er kehrte zum
Stammesdenken zurück, wählte die Kaaba als Zentrum
und integrierte die heidnischen Hadsch-Rituale in das
monotheistische Denken. Das Prinzip Blutsverwandtschaft wurde aber durch das Prinzip »Glaube« ergänzt.
Mohamed hatte, was sein Großvater nicht hatte, nämlich ein Buch, das erste arabische Buch überhaupt. Diese Mischung erklärt die rasanten Erfolge des Islam nach
der Rückkehr nach Mekka. Aber Mohamed war ein anderer, als er seine Heimatstadt zurückeroberte. Er sagte
den Mekkanern nicht wie früher: »Euch euern Glauben, und mir meinen Glauben«, sondern zerstörte alle
ihrer Gottheiten, die um die Kaaba standen, und so
pflanzte er die Saat der Intoleranz in das Herz des Islam, eine Krankheit, die diese Religion nie losgeworden
ist. Ein multireligiöses Zentrum wurde monokulturell:
Dies war auch der Anfang vom Ende dieser Kultur.
Denn er hatte zwar die Steine um die Kaaba zertrüm-
mert, die Götzenbilder im Kopf der Araber konnte er
allerdings nie zerstören.

Aus dem sensiblen, philosophierenden Einsiedler in
einer Höhle in Mekka war ein mächtiger Stammesfüh-
rer geworden, der alle Widersprüche eines orientalischen Mannes verkörperte und das Gottesbild des Islam prägte. Ein erhabener, unberechenbarer und wütender, zugleich aber auch gütiger und barmherziger
Gott. Ein Gott, der immer diktiert und nie verhandelt,

sich aber bald von seiner großzügigen Seite zeigt. Er bestraft Abtrünnige mit Höllenqualen, richtet über Leben und Tod, darf aber selber nicht in Frage gestellt werden. Ein machtbesessener, eifersüchtiger Gott, der keine Götter neben sich duldet und für seine Macht über Leichen geht. Wenn man sich die Herrscher in der islamischen Welt heute anschaut, entdeckt man erstaunliche Parallelen. Alle beziehen sich auf den Allmächtigen und lassen ihre Macht durch ihn segnen. Alle erwarten wie er absolute Loyalität und vernichten jeden, der ihre Macht in Frage stellt.

Ein Vergleich zwischen der Hiobsgeschichte im Koran und der Bibel zeigt auch die unterschiedlichen Gottesbilder. Während der biblische Hiob mit Gott über sein Schicksal hadert und sogar Gott als Tyrannen bezeichnet, der über das Ganze herrscht, erduldet er im Koran ein Unheil nach dem anderen, weil er auf Gott und seine Gnade vertraut. Für seine Geduld und Demut wird er am Ende mit der Heilung belohnt. Überhaupt ist die Tradition des Haderns mit Gott im Mainstream-Islam sehr verpönt: »Ihr, die ihr glaubt, stellt keine Fragen, dessen Antworten euch kränken würden, solltet ihr sie bekommen«, steht im Koran. Im Gegensatz zu den griechischen und nördlichen Mythologien, wo Titanen das Feuer von den Göttern stehlen, um sich zu verwirklichen, oder Giganten gegen sie kämpfen und ihnen ihre Macht streitig machen, darf es im Islam zu dieser Auseinandersetzung nicht kommen. In den Tempeln Japans werden die Götter von den Menschen durch eine Glocke erweckt. Ohne Menschen gäbe es keine Götter. Hier geht die Initiative nicht von den

Göttern aus, wie es bei den monotheistischen Religionen der Fall ist, sondern der Mensch sucht den Weg zu
ihnen und bestimmt, wann sich diese Wege wieder trennen. Wenn der Japaner den Tempel verlässt, verfolgen
ihn diese Götter nicht mit Geboten und Verboten. Der
Mensch bringt die Götter zum Leben, nicht umgekehrt.

Der germanische Gott Odin hat nur ein Auge und ist
ständig auf der Suche nach Wissen. Er opfert sich für
die Menschen, nicht umgekehrt, und hängt sich, vom
eigenen Speer verwundet, neun Tage und Nächte an
den Lebensbaum Yaggdrasil, um Wissen zu erlangen.
Allah dagegen ist nicht von dieser Welt, ist weise und
allwissend und sieht alles, und selbst wenn der Mensch
ein schweres Schicksal erleidet, dann hat das einen Sinn.
Er wird als der Hersteller des Menschen gesehen, der
weiß, wie er funktioniert, deshalb ist er auch der Einzige, der ihm Handlungsanweisungen vorschreiben
kann.

Mohamed starb und hinterließ den Muslimen den
Koran und Zigtausende Hadithe, die Anweisungen für
alle Lebensbereiche enthielten, sogar darüber, wie ein
Muslim sich gottgefällig auf der Toilette benehmen
sollte. Doch was er vergessen hatte, war, ihnen mitzu-
teilen, wer die Herrschaft nach ihm übernehmen solle
und welche Legitimation er für die Macht benötige.
Dies führte wenige Jahre nach seinem Tod zu einer hef-
tigen Auseinandersetzung und zu Bürgerkriegen unter
Muslimen, die mit der Spaltung der Gemeinde in Schia
und Sunna endete.

Unter dem traumatischen Eindruck dieser Spaltung

ist der sunnitische Islam paranoid geworden und entwickelte eine herrscherfreundliche Ideologie, um Bürgerkriege in der Zukunft zu vermeiden. Diese Ideologie ging so weit, es als Pflicht jedes Muslims vorzuschreiben, dem Herrscher gehorsam zu sein, egal ob er unmoralisch oder ungerecht ist. Langsam entwickelte sich das Konzept von *hakimiyyatu-llah* oder der »Herrschaft Gottes«. Die Idee war nicht nur, dass Gott der Einzige ist, der dem Herrscher die Macht verleihen oder entziehen kann, sondern dass er durch den Herrscher auf Erden regiert. Somit wäre der Monarch der Schatten Gottes auf Erden und der Vollstrecker seines Willens; eine Idee, die den vorislamischen Persern und Ägyptern, die nun zum Islam konvertiert waren, auch bekannt war. Dies mündete bei den Schiiten ins Konzept des Imams und bei den Sunniten zu der Idee des Herrschers von Gottes Gnaden. Beide unterscheiden sich nur marginal. Und so herrschte vor allem unter den Sunniten der Konsens, eine Revolte gegen den Machthaber ist auch eine Revolte gegen Gott, denn sie öffne den Weg zu Spaltung und Verwirrung der *Umma*, der religiösen Gemeinschaft aller Muslime. Die Vorlage dafür liefert der Koran in zwei Passagen: Die eine sagt: »Seid Gott, seinem Propheten und den Befehlshabern unter euch gehorsam«, die andere warnt: »Verwirrung ist schlimmer als Mord.« Das Wort für Verwirrung im Arabischen, *fitna*, ist das gleiche Wort für Spaltung und Verführung durch eine Frau. Dazu später mehr.

Ein Herrscher darf aber durch einen neuen Herrscher ersetzt werden, nicht aber durch eine Massenerhebung. Bald einigten sich die sunnitischen Gelehrten darauf, dass ein Herrscher die Macht durch Konsens der *Ulama'a,* also der Gelehrten, durch Erbe oder durch Gewalt erobern kann. Die Herrscher sollten das unter sich ausmachen, und die Untertanen haben sich dem neuen Machthaber zu unterwerfen. Das erklärt, warum es fast nie zu einer Massenerhebung in der islamischen Welt kam, abgesehen von wenigen sporadischen Revolten, die sich gegen Steuererhöhungen oder Lebensmittelknappheit richteten. Immer wurden muslimische Herrscher, egal auf welchem Wege sie an die Macht gekommen waren, von den religiösen Anführern gestützt.

Bis heute ist ein Bestandteil der Freitagspredigt in jedem islamischen Land ein Gebet für den Herrscher, möge Gott ihm zur Seite stehen. Auch Napoleon erkannte dies und verbündete sich mit einigen Gelehrten der Al-Azhar-Moschee, um den Aufstand der Ägypter zu unterbinden. Diese sagten, Napoleon sei ein Befehlshaber, dem man laut Koran gehorsam sein sollte, und es hat funktioniert. Die Umdeutung der religiösen Texte zugunsten der Machthaber hat eine lange Tradition in der islamischen Welt. Auch in der modernen Zeit braucht jeder Herrscher, egal wie säkular er sich gibt, die Marionettengelehrten, die alles, was der Herrscher will, als islamisch, praktisch und gut bezeichnen. So erklärten die Gelehrten in den Zeiten Nassers, der marxistisch-sozialistisch ausgerichtet war, den Islam zur Religion der sozialen Gerechtigkeit und des Kampfes gegen Ausbeutung und Mohamed, also lange vor Marx, quasi als den Begründer des Sozialismus. Als Sadat das Land Richtung Westen öffnen und die Wirtschaft liberalisieren wollte, war der Islam plötzlich die Religion der Freiheit des Besitzes. Gewinnmaximierung wurde auch als islamisch bezeichnet, war der Prophet selber doch ein erfolgreicher Händler gewesen. Eine *Fatwa* (ein religiöses Gutachten und *nicht* ein Morurteil, wie viele sie übersetzen), welche die Bankzinsen für islamkonform erklärte, wurde von Al-Azhar sogar ausgestellt, obwohl Zinsen unmissverständlich im Koran verboten sind. In Zeiten des Krieges mit Israel war der Islam die Religion des Dschihad, und die Juden waren die ewigen Feinde Allahs. Als Sadat sich mit dem ungeliebten Nachbarn versöhnen wollte, war der Islam die Religion des Friedens und der Vergebung.

Nur im schiitischen Iran kam es alleine innerhalb der letzten dreißig Jahre zweimal zur Massenerhebung; einmal schaffte es die religiöse Studentenbewegung, den Schah zu entmachten und den Imam Khomeini an die Macht zu bringen, und ein weiteres Mal gingen die Massen auf die Straße, um die Macht Ahmadineschads in Teheran zu stürzen. Das liegt daran, wie bereits angedeutet, dass der Schia-Islam selbst als eine Revolution geboren wurde und seit seiner Entstehung keine theologischen Bedenken gegen den Widerstand hatte. Im Iran gibt es auch eine sichtbare religiöse Macht, die der Klerus der Mullahs verkörpert, während es im sunnitischen Islam keine zentrale Macht gibt, die alle Entscheidungen in der Hand hätte.

Die oft gepriesene Vielfalt des Islam ist auch oft Teil des Problems und nicht Teil der Lösung. Die Anpassungsfähigkeit der Theologie macht den Islam gleichzeitig zur Religion des Dschihad und des Friedens, des

Verlangens nach Wissen und der Hexenverbrennung.
Das macht ihn nicht greif- oder angreifbar. »Es ist eine
Frage der Auslegung«, lautet die Fluchtformel, wenn
man den Islam für die heutige Misere verantwortlich
machen will. Es mag auch daran liegen, dass viele Iraner
immer noch eine Distanz zum Islam haben, da sie die
Verbindung zur vorislamischen persischen Kultur bewahren. Das drückt sich in den vielen persischen Vor-
namen aus, die gar nicht islamisch sind.

Im kollektiven Gedächtnis der Iraner und in der Poesie scheint Altpersien immer noch zu leben. In den sunnitischen Staaten dagegen schaffte es der Islam, die vor-
islamische Periode als Zeit der *Dschahiliya,* der Dun-
kelheit und Unwissenheit, hinter sich zu lassen. Nach
ihrer Konvertierung zum Islam übernahmen die Perser
zwar die arabische Schrift, behielten aber die eigene
Sprache, was ihnen sowohl einen Zugang zur eigenen
Geschichte als auch zum Arabischen als Sprache der
Wissenschaft im Mittelalter verschaffte. Die ersten
Werke, die die Perser schrieben, nachdem sie den Islam
angenommen hatten, waren Zarathustra-Schriften und
das epische Buch *Shahnama,* das die Geschichte alter
persischer Könige festhält. Die kulturelle Eigenstän-
digkeit der Perser schützte sie vor einer Vereinnahmung
durch die arabische Sippenkultur und garantierte eine
historische Kontinuität, die im Nahen Osten und vielleicht sogar weltweit einmalig ist. Die Iraner haben
ebenfalls eine starke Bindung an die islamische Mystik,
die einzige Richtung, die das Hadern mit Gott zulässt.
Andererseits deuten die Mystiker die Dinge der Welt so
lange um, bis sie wiederum bei Gott angekommen sind,

wie der Iranist Bert Fragner hervorhebt. Mystische Dichter wie Rumi und Hafez genießen im Iran fast die gleiche Stellung wie Mohamed. Hier sollte allerdings betont werden, dass auch die Mystik eine Art Opium für das Volk sein kann, da sie einen Rückzugsraum für passive Menschen bieten kann, die vor der Realität fliehen wollen.

Ein wesentlicher gesellschaftlicher Unterschied zwischen dem Iran und den meisten anderen islamischen Staaten liegt darin, dass im heutigen Iran die Bildung von Frauen fortgeschrittener ist. Eine zivile Gesellschaft und ein ausgeprägtes Öffentlichkeitsbewusstsein unter den Iranern sieht Bert Fragner als gute Voraussetzung für eine Modernisierung. Auch die Rolle der Literatur und der Philosophie in der iranischen Gesellschaft ist nicht zu übersehen. Diese schafft eine Parallelsprache zur Sprache der Autorität und setzt die Theologie unter Druck, um mitzuziehen. Katajun Amirpur schreibt im »Spiegel«-Geschichtsheft über Persien, dass sich die Bücher von Jürgen Habermas und Hannah Arendt über »Elemente und Ursprünge totaler Herrschaft« in Teheran anders lesen als sonst auf der Welt. Als Habermas den Iran im Jahr 2002 besuchte, wurde er wie ein Filmstar empfangen. Kein Wunder, dass die Theologie in Iran viel weiter ist als in den sunnitischen Staaten. Im Jahr 2004 traf ich bei einer Konferenz in Heidelberg den iranischen Theologen Abdulkarim Soroush, der zwischen der Religion einerseits und dem Verständnis von Religion andererseits unterscheidet. Das Wissen über Religion ist laut Soroush nicht heilig und ist deshalb wie jedes weltliche Wissen nicht nur

kritisier-, sondern auch austauschbar. Nur in einer Demokratie gibt es echte Religiosität, denn Glauben ohne
Freiheit ist kein Glauben, so Soroush. Bemerkenswert
ist, dass Soroush einer der Vordenker der iranischen
Revolution von 1979 war. Heute geht er einen völlig anderen Weg als das Mullah-Regime in Teheran. Sicher
gibt es auch viele Theologen im Iran, die nicht nur
buchstabentreu sind, sondern auch merkwürdige Gutachten geben, wie etwa ein gewisser Kassem Sidighi,
der die Sünden unmoralischer Frauen für Erdbeben
verantwortlich machte. Wie dem auch sei, in beiden
Fällen bleibt die schiitische Theologie in den sunnitischen Staaten nicht akzeptiert, werden die Schiiten, die
nur zehn Prozent aller Muslime ausmachen, in den Augen der Sunniten als Abtrünnige oder zumindest als
nicht genuin islamisch angesehen.

Eine wichtige Rolle für den Unterschied zwischen
schiitischer und sunnitischer Realität spielen auch die
Exiliraner in Europa und den USA. Im Gegensatz zu
den Sunniten sind sie im Westen nicht mit der Größe
einer Moschee oder dem Erektionswinkel eines Mina-
retts beschäftigt und verstecken sich nicht hinter der
Mauer der importierten Identität, sondern unterstützen die Demonstranten in ihrem Land sowohl finanziell als auch medial. Gleichzeitig schaffen sie es, dass das
Thema Iran immer im Bewusstsein der westlichen Medien bleibt. Allein das Interesse des Westens an einem
Regimesturz in Teheran macht vielen Iranern Hoffnung, dass zumindest von außen der Prozess der Veränderung nicht gebremst wird, zumindest nicht vom
Westen. Die westlichen Mächte schmiedeten im Rah-

men des Krieges gegen den Terror aber enge Allianzen mit den Diktatoren in den sunnitischen Staaten. Die Despoten im Nahen Osten flüsterten ihren Verbündeten ein, eine Alternative zu ihnen gebe es nicht, außer den Islamisten, dem Gespenst, das keiner im Westen haben will. Dass es auch viele säkulare oppositionelle Stimmen gibt, die von den Regimen brutaler unterdrückt werden als die Islamisten, verschweigt man tunlichst. Im Gegenteil, es sind immer mehr Annäherungen zwischen Despoten und Gotteskriegern beobachtbar, sind beide doch der Demokratie gegenüber gleichermaßen unversöhnlich. Es kommt zu einer stillschweigenden Teilung: Die Machthaber haben die Kontrolle über die Ressourcen, die Islamisten über die Köpfe der Menschen; eine Allianz, die in Saudi-Arabien vor mehr als zweihundert Jahren begann und nun immer mehr zur Realität in den meisten Staaten der Region wird.

Auch im Iran ist man heute hinsichtlich des Gottesstaates als Utopie eher desillusioniert. Die islamische Revolution konnte ihr Versprechen von Milch und Honig nicht einlösen, und auch der lebendige Imam kann keine Wirtschaftswunder vollbringen. Sie sahen, dass die Idee der Freiheit, mit der die Revolution an die Macht kam, sich als eine brutale Diktatur entpuppte. In den meisten sunnitischen islamischen Staaten, in denen der Gottesstaat noch nicht verwirklicht wurde, wie in Ägypten, Marokko und Jordanien, argumentiert man, dass wir Muslime alle möglichen Modelle aus dem Westen und Osten von Nationalismus über Marxismus bis hin zum Kapitalismus ausprobiert haben. Diese Systeme haben keine Früchte in der islamischen Welt getragen, weil sie aus einer fremden Erde entrissen und bei uns eingepflanzt wurden, denn sie entsprachen unseren klimatischen Bedingungen nicht. Deshalb bleibt das Projekt »Medina Reloaded« wie so oft die letzte Rettung, nämlich die Rückkehr zum ersten Staatsmodell in der Zeit des Propheten. Und so bleibt die Revolution aus, oder sie mündet in ein menschenverachtendes System namens Scharia.

Kultureller Inzest
oder: Eine Freistadt ohne Freiheit!

Eine unfreiwillige Erfahrung mit einer geschlossenen Gesellschaft mitten in Europa verdeutlichte mir das Dilemma der islamischen Welt. Nein, es war keine Emigrantenenklave in Berlin oder Paris, sondern eine europäische Parallelgesellschaft namens »Freistadt Christiania« in Kopenhagen. Ich war im Sommer 2009 in der dänischen Hauptstadt, da meine Frau, die Halbdänin ist, dort an der Universität arbeitete. Mich besuchte dort der Journalist Henryk M. Broder, um mich für den »Spiegel« über mein letztes Buch zu interviewen. Das Interview dauerte mehrere Tage. Während einer Pause gingen wir in der Hafenstadt spazieren und landeten einmal bei Christiania; einer »befreiten« Zone, die 1971 von Hippies auf dem Boden eines ehemaligen Militärgeländes im Stadtteil Christianhavn besetzt wurde. Seitdem ist die Enklave eine Art Oase für linke Aussteiger, die zum neoliberalen Kapitalismus und Konsumterror der westlichen Gesellschaften eine Alternative anbieten wollten. Dort leben heute zwischen sieben- und elfhundert Menschen, die Christiania als unabhängige Stadt mit eigener Gesetzordnung, Flagge und sogar Währung sehen.

Meine Frau ist zwar in Kopenhagen geboren, war aber noch nie in Christiania und wusste wenig über

diesen Teil der Stadt. Sie sagte nur, dass viele Dänen die
Kolonie als Kult betrachten, viele wiederum dieses
Stadtviertel meiden und dafür plädieren, es abzuschaf-
fen. Wir kamen durch den Haupteingang nach Christiania hinein, und gelangten direkt zu der berüchtigten
»Pusher Street«, dem Herzstück der Kolonie. Überall
hingen Schilder, die das Fotografieren verbieten. In der
»Freistadt«, die sich selbst als die letzte existierende
Oase der wirklichen Freiheit und Gerechtigkeit sieht,
ist sonst nichts verboten, außer Hunde an der Leine zu
ziehen oder schnell in der Pusher Street zu laufen, und
das hat seine Gründe. Denn in der Pusher Street befindet sich Dänemarks größter Drogenmarkt auf offener
Straße, ein Millionengeschäft. Aber nur weiche Drogen
wie Haschisch und Marihuana sind dort im Angebot,
betonen die Christianiten immer wieder gerne.

Wer dabei erwischt wird, harte Drogen zu verkaufen
oder zu konsumieren, wird aus der Stadt verbannt, erzählte mir später eine Lehrerin namens Benta, die seit
1984 in Christiania wohnt. Von ihr habe ich auch erfahren, dass die dänische Polizei sich in Christiania nicht
einmischen darf. Benta erzählte, dass die Kolonie basis-
demokratisch regiert wird. Wenn Konflikte auftauchen,
treffen sich alle erwachsenen Männer und Frauen und
beraten darüber, bis ausnahmslos alle eine gemeinsame
Entscheidung treffen. Ein Verfahren, das Wochen und
Monate dauern kann. Bewohnern, denen schwere Ver-
gehen nachzuweisen sind, werden entweder für immer
oder für eine bestimmte Zeit aus der Stadt verbannt.
Einen persönlichen Besitz gibt es angeblich in Christiania nicht, Gehälter auch nicht. Alle arbeiten in eine

Gemeinschaftskasse, die unter allen Bewohnern gerecht verteilt würde. Auf meine Frage, ob das auch für die Drogendealer in der Pusher Street gelte, schluckte Benta und gab mir keine klare Antwort. Ganz offensichtlich wird die Mehrzahl der Bewohner, die arbeitslos ist, von den Dealern mit Naturalien für ihr Schweigen bezahlt. Von Freiheit habe ich in Christiania nichts gespürt. Die benebelten skeptischen Blicke der Christianiten, die sich auf jeden Fremden richten, der die Kolonie betritt, und die Verbotsschilder vermittelten mir eher die Atmosphäre eines Big-Brother-Containers im Drogenrausch. Broder ist ein Vollblutjournalist und roch, seitdem wir die Stadt betraten, die Möglichkeit einer spannenden Reportage. Er ließ sich von Verbotsschildern nicht beeindrucken und fing an, zu knipsen. Mehrmals wurde er von Passanten oder Wächtern, die auf kleinen Aussichtstürmen an der Kreuzung zur Pusher Street Stellung nahmen, gewarnt, dass das Fotografieren für ihn böse enden könnte. Aber irgendwie nahm er diese Warnung nicht ernst, kam sie doch von vollkommen betrunkenen Christianiten. Dies war sein größter Fehler und dafür musste er zahlen. Plötzlich tauchte ein großer muskulöser junger Dealer auf und bat ihn zunächst freundlich, ihm die Bilder zu zeigen, die er gerade schoss. Broder weigerte sich und versteckte die Kamera hinter seinem Rücken. Somit bestätigte sich der Verdacht des Dealers, er habe ihn beim Dealen fotografiert. Er zerrte an Broder und versuchte, ihm die Kamera gewaltsam wegzunehmen. »Du Idiot, gib ihm doch die Kamera, oder willst du sterben?«, riefen einige Christianiten, die zunächst unbeteiligt schienen. Als

sich Broders Aufstand fortsetzte, eilten dem Dealer
mehrere junge Männer zu Hilfe und warfen Broder zu
Boden. Meine Frau und ich versuchten, ihn aus ihren
Händen zu befreien, was uns nicht gelang. Hartnäckig
und verbissen verteidigte der am Boden liegende Broder seine Kamera, die er in seiner Hosentasche versteckte, und gnadenlos schlugen die Dealer auf ihn ein.
Ich sah vor mir einen erbitterten Kampf zwischen zwei
radikalen Auffassungen von Freiheit, den Broder bra-
vourös verlor. Am Ende blieb den jungen Dealern
nichts anderes übrig, als ihm die Hose aufzureißen, um
ihm die Kamera wegzunehmen. Ohne sich die Bilder
anzuschauen, warf einer von ihnen sie sofort in eine
brennende Mülltonne. Broders Kampfgeist schien jedoch noch nicht gebrochen zu sein. Er stand auf, rann-
te zur Mülltonne und versuchte, seine Kastanie aus dem
Feuer zu holen. Vergeblich, denn sie schmorte bereits.

Man könnte sagen, dass er sich die Finger an der
Freiheit verbrannt hatte. Mit verletzter Hand und auf-
gerissener Hose verließ er mit uns die »Freistadt«, gefolgt von aggressiven Rufen: »Idiot!« Er ging mit uns
zur ersten Polizeistation, die vier Kilometer außerhalb
von Christiania lag, und bat den Beamten, mit ihm in
die Freistadt zu gehen, um diejenigen zu identifizieren,
die ihn angegriffen und seine Kamera gestohlen hatten.
Die Beamten gaben ihm zu verstehen, dass dies nicht
ginge, weil sie fünfzig bewaffnete Männer brauchen,
um in Christiania zu bestehen, und das täten sie nur,
wenn es sich um Mordfälle handele. Oft kam es zu
Bombenexplosionen in den Cafés von Christiania, und
oft wurden Menschen auf offener Straße dort erschos-

sen. Revierkämpfe und Erpressungen hätten den Staat zum Handeln gedrängt, aber viel war dabei nicht herausgekommen. Vor einigen Jahren versuchten die Sicherheitskräfte, mit einem großen Polizeiaufgebot nach einer Gerichtsentscheidung die Kolonie aufzulösen, doch sie scheiterten am Widerstand der randalierenden Christianiten. Nicht einmal in Zivil können vereinzelte Beamte heute dorthin gehen, denn die Dealer haben Fotos von allen Polizeibeamten von Kopenhagen aufgehängt, so dass sie sofort erkannt werden. Wir verließen die Polizeistation ohne Erfolg. Plötzlich blieb Broder stehen und sagte lächelnd: »Lasst uns Eis essen gehen!« Meine Frau fragte ihn: »Geht es Ihnen gut?« – »Ja, mir geht es prima, ich hatte schon meine Übungen heute Nachmittag, und jetzt fühle ich mich fit!«

Lange beschäftigte mich dieser Zwischenfall, und ich fragte mich, warum eine Gemeinde, die im Namen der Gerechtigkeit und Freiheit entstand, sich so verkrampft und paranoid verhält. Die einzige Antwort, die mir einfiel, war, dass Isolation und das Gefühl der moralischen Überlegenheit gegenüber der Außenwelt zu einer Art Kulturinzest führen. Je mehr sich Einflüsse von außen vermehren; je mehr fremde Blicke sich auf das Reservat richten, desto unsicherer werden die Idealisten im Inneren; desto stärker werden der künstliche Zusammenhalt und die Solidarität unter den Mitgliedern der Schicksalsgemeinschaft zum Ausdruck kommen. Heute leben die meisten Christianiten auf Kosten des neoliberalen, kapitalistischen Staates, den sie abschaffen wollen. Elektrizität, Internet und alle Annehmlichkei-

ten der modernen Gesellschaft sind längst Bestandteil
der unabhängigen Utopie. Aus den Aussteigern sind
keine Weltveränderer geworden, sondern willenlose,
dem Drogenrausch ausgelieferte Individuen, die ums
nackte Überleben kämpfen. Aus der Vorhut der Welt-
revolution sind nur noch unfreiwillige Spitzel der Drogendealer geworden.

Genau in diesem Dilemma stecken viele Teile der islamischen Welt. Von der einst aufstrebenden neugierigen
Kultur, die damals als eine soziale Revolution entstand
und die Welt verändern wollte, sind heute nur noch pa-
ranoide Inzestkinder geblieben, die das innere Prinzip
der damaligen Gemeinde verloren haben und sich nur
noch mit Selbsterhalt beschäftigen. Im Rausch des
uneinsichtigen Glaubens und der ungerechtfertigten
Selbstverherrlichung bieten sie keine Alternative zur
Außenwelt, sondern fallen ihr zur Last. Auf jeden Versuch, die veralteten Strukturen aufzulösen, wird mit
Gewalt und Verkrampfung reagiert. Der Widerstand ist
zum Selbstzweck geworden, weil die Kreativität und
die Energie für nichts anderes ausreichen.
    Der Beginn des Zerfalls einer Gemeinschaft liegt in
der Gründungsidee und in den Grenzen, die sie zu der
Außenwelt zieht. Auch ihre Definition und Re-Defini-
tion des Auftrags, den sie für die Welt erfüllt, ist maßgebend. Isolation führt zu strengen Kodexen, die in
Autoaggressionen münden. Eine Kultur frisst sich von
innen auf, bevor sie die Gewalt nach außen trägt. Un-
einsichtig besteht sie auf der Güte des selbsterteilten
Auftrags und marschiert unbelehrbar zum eigenen

Grab. Auf ihrem Weg dorthin reißt sie jedoch viele
»Unbeteiligte« mit.

Ich wollte eine zweite Meinung über Christiania einho-
len und traf mit meiner Frau die Lehrerin Benta, die
allerdings sehr apologetisch war und alles Negative
über Christiania als Verschwörung der neoliberalen
Medien abtat. Sie versuchte, uns die Enklave als Paradies der Solidarität und des friedlichen Zusammenle-
bens zu verkaufen. Von den Drogenproblemen und der
Gewalt in der Kolonie wollte sie nichts wissen. Sie erinnerte mich an meine ersten Monate in Deutschland,
als ich versucht habe, die islamische Kultur als tadellos
zu beschreiben und hartnäckig alle Schwachstellen, die
ich ganz genau kannte, auszublenden. Die Unsicherheit, die die Begegnung mit Deutschland in mir damals
auslöste, veranlasste mich, meine Kultur auf das schöne
Wetter, das gute Essen und die freundlichen Menschen
zu reduzieren. Das war nichts außer einer Umkehrung
der Eigenschaften, die ich bei den Deutschen vermutete
oder wahrzunehmen dachte.
   Viel nüchterner waren die Einschätzungen von Karsten über Christiania. Der gebürtige Hamburger lebt in
der »Freistadt« seit 1979, baute dort sein eigenes Haus
direkt am Wasser und ist heute für die Baukommission
in Christiania verantwortlich. Er leitet auch das örtli-
che Einkaufszentrum. Dort sollten wir uns treffen.
Karsten konnten wir durch das Internet kontaktieren
und mit ihm einen Termin vereinbaren. Nach Christiania kamen wir durch den anderen Eingang, um die Pusher Street zu umgehen. Wir nahmen die Fähre und

kamen über die Uferseite in die Kolonie. Diesmal sah
alles idyllisch und friedlich aus. Ökologisch gebaute
Häuser, menschenleere Straßen und freilaufende Hunde. Ich kam mir vor wie in meinem Dorf in Ägypten
vor dreißig Jahren. Das Einkaufszentrum entpuppte
sich allerdings als ein kleiner Kiosk, den man von außen kaum erkennen kann. Skeptisch waren die Blicke
des deutschen Aussteigers Karsten sowie die Blicke seiner Kunden auf uns, als wir den Laden betraten. Und
dennoch dauerte es nicht lange, bis er uns zu sich nach
Hause einlud, großzügig bekochte und sogar Marihuana aus dem Hausanbau anbot. Er erzählte uns, das
Hauptproblem der Einwohner von Christiania sei, dass
viele von ihnen in der Vergangenheit lebten und nicht
verstehen wollten, dass Zeiten sich ändern. Er kämpfe
dafür, die Stadt für Touristen zu öffnen und jedem Besucher eine Christiania-Münze im Wert von fünfzig
Kronen (umgerechnet acht Euro) als Eintritt zu verkaufen, womit man in Christiania gefertigte Produkte
kaufen könnte. Mit dieser Idee stößt er auf Widerstand,
denn dies würde Kapitalismus bedeuten. Touristen
würden sowieso jetzt schon kommen, aber man profitiert nicht von ihnen. Auf meine Frage, warum sie das
Normalisierungsangebot der dänischen Regierung ab-
lehnen, sagte er: »Normalisierung für die neoliberale
Regierung bedeutet, uns zu kontrollieren und die vierunddreißig Hektar, die Christiania ausmachen, ans mo-
netäre System anzuschließen. Und das würden wir nie
zulassen.« Trotz messianischer Sprache überschätzt
Karsten die Rolle seiner Gemeinschaft nicht. »Wir sind
nur ein soziales Experiment, eine Idee, die die Men-

schen da draußen zum Nachdenken über ihre Art zu leben bringen könnte.« Den Grund dafür, warum die Enklave so lange Bestand hatte und warum sie angefeindet wird, sieht Karsten darin, dass die einen Dänen die Christianiten nicht als ihre Nachbarn in der Stadt haben wollen und sie deshalb unterstützen, damit sie im »Zoo« bleiben, und die anderen beneideten sie, weil sie stressfrei in Kopenhagens schönster Ecke lebten, und wollten deshalb die Stadt auflösen.

Als ich ihn auf die Pusher Street ansprach, war er offen. Er sei selbst früher Dealer gewesen, aber hatte aufgehört, weil er nicht durch eine Kugel sterben wollte. Auf die Frage, warum eine »Freistadt« das Fotografieren verbietet, sagte er: »Wir werden von außen gedrängt, uns so zu verhalten. Wir wollen in Ruhe gelassen werden, aber solche Fotos kann die Polizei gegen uns benützen.« – »Aber auch Henryk Broder hat von seiner Freiheit Gebrauch gemacht, als er in der Pusher Street fotografierte. Warum hat man ihn verprügelt?«, fragte ich. »Ach ja, dieser Idiot vom ›Spiegel‹? Selber schuld, Freiheit bedeutet doch nicht, Tennis auf der Autobahn zu spielen! Außerdem, selbst wenn du einen Busch in Afrika fotografieren willst und jemand dort dir ›Nein‹ sagt, musst du es akzeptieren!«, sagte er lachend. Auf die Frage, warum die Christianiten auf Blicke der Fremden misstrauisch reagieren, sagte er: »Die Besucher starren auf uns Affen und wissen nicht, dass auch die Affen auf sie starren!«

Trotz seiner Nüchternheit ist Karsten vom Konzept seiner Gemeinschaft sehr überzeugt und wünscht sich, dass ganz Dänemark wie Christiania würde. Die Welt würde friedlicher und sauberer sein. Diese Pax Christiania erinnert mich an das frühere islamische Verständnis vom Frieden. Damals unterteilte man die Welt in ein Haus des Krieges und in ein Haus des Islam. Frieden konnte nur herrschen, wenn die Islamisierung Einzug fand.

Doch in einem zentralen Punkt unterscheidet sich Christiania von der islamischen Idee, nämlich im Umgang mit der neuen Generation. Als ich Karsten fragte, ob er Kinder habe und ob sie auch in Christiania leben würden, teilte er mir mit, dass er eine Tochter habe, die aber außerhalb Christianias lebe. Sie sei ausgezogen aus dem gleichen Grund, der ihren Vater damals zum Einzug bewegt habe: Sie wollte nicht wie ihre Eltern leben. Aber sie ist trotzdem Christianitin im Herzen, wie viele Dänen, sie kommt und bringt frischen Wind und geht bald wieder, sagte er abschließend und blickte zufrieden, als habe er den Sinn dieser Enklave gerade neu erfunden.

Und an dieser Stelle sehe ich das größte Defizit des Islam, nämlich seine Haltung zur Individualität und persönlichen Entfaltung. Das Beharren auf Normen und Lebensformen, die im 21. Jahrhundert nicht mehr zeitgemäß sind, macht es vielen Muslimen schwer, sich als eine Minderheit in einer säkularen Gesellschaft einzugliedern. Dass jeder tun und lassen kann, was er möchte, bedroht aus islamischer Sicht die Gemeinschaft. Gerade die Geschlechter-Apartheid und die Entmündigung der Frau halte ich für die größte Sünde. Nun baut aber die moderne Zivilisation gerade darauf, dass das

Glück des Einzelnen die Voraussetzung dafür ist, dass die Gemeinschaft funktioniert. Das nur als Gefahr zu sehen fördert die Abschottung. Dass das selbstbestimmte Leben der Kinder, vor allem der Töchter, nicht als Chance, sondern als Bedrohung gesehen wird, beraubt die Gesellschaft ungeheurer Ressourcen, die sie in dieser schweren Zeit dringend braucht. Dass die Fenster des Hauses nicht als Öffnungen gesehen werden, durch die frischer Wind hineinkommen könnte, sondern als die Schwachstelle, durch die die eigenen Kinder fliehen und die Eindringlinge sich hineinschleichen könnten, hemmt jede Form von Fortschritt. So bleibt die Außenwelt eine Welt des Feindes, und jede Geste, die aus ihr kommt, wird als feindselig interpretiert. Hier darf ohne Wenn und Aber jenseits der philosophischen Formel behauptet werden, dass die europäische Zivilisation deutlich freier ist als die muslimische. Auch wenn das System in Europa die Individuen vereinnahmt, bietet es ihnen immerhin die Rahmenbedingungen der persönlichen Entwicklung und räumt ihnen die Möglichkeit ein, dieses System jederzeit verlassen zu können.

Käfighaltung
oder: Eine Frau aus Ägypten

Über die Schweiz liest man seit dem Minarettverbot wenig Positives in der arabischen Presse. Umso erstaunter las ich am 10. März 2010 ausgerechnet in einer saudischen Tageszeitung namens »al-watan« einen Artikel des fortschrittlichen Autors Turki Al-Dekhil über Tierschutz im Alpenland. Darin berichtete er von einem Zürcher Rechtsanwalt namens Anton, der es zu seiner Aufgabe mache, Tiere vor Gericht zu vertreten. »Die Kernidee der Gerechtigkeit ist es, diejenigen, die sich nicht wehren können, zu verteidigen«, zitierte der saudische Kolumnist den Schweizer Anwalt. Der ganze Artikel war ein Plädoyer für die Einhaltung der Menschenrechte und eine Hommage an ein Land, das nach der Volksabstimmung gegen die Minarette für viele Muslime für alles, nur nicht für Menschenrechte steht.

Die zahlreichen Kommentare auf der Webseite der Zeitung zu diesem Artikel waren zum Teil sehr heiter. Bei einem Kommentar fing ich sogar laut zu lachen an, aber bald blieb mir das Lachen im Halse stecken. Der Kommentar stammte von einer Frau und lautete: »Ich wünschte, ich wäre eine Kuh in der Schweiz!«

Der Wunsch, in eine Kuh verwandelt zu werden, mag verständlich sein, wenn man die Lebenssituation der Frauen in Saudi-Arabien genauer betrachtet. Denn sie sind nicht nur in der Bildung benachteiligt und ihre Bewegungsfreiheit ist stark eingeschränkt, sondern sie sind auch allzu oft massiver Gewalt zu Hause ausgesetzt. Laut einer innersaudischen Studie sind dreiundneunzig Prozent aller Frauen im arabischen Königreich Opfer familiärer Gewalt. Es ist sicher kein Zufall, dass Saudi-Arabien im Bericht des World Economic Forum 2009 zur Lage der Frau weltweit auf Platz einhundertdreißig von einhundertvierunddreißig landete. Alle hinteren Plätze, mit einer einzigen Ausnahme, waren islamischen Staaten vorbehalten. Einzig Benin schlich sich dazwischen. In der Liste belegte Pakistan Platz einhundertzweiunddreißig, Ägypten knapp vor der Türkei Platz einhundertsechsundzwanzig. Die Türkei kam trotz fortschrittlicher Gesetze auf Rang einhundertneunundzwanzig. Sogar der Iran lag mit Platz einhundertachtundzwanzig weiter oben. Ganz unten wie erwartet war der Jemen. Drei islamische Staaten, in denen die Lage der Frauen durch die Einführung der Scharia besonders tragisch ist, wurden in diesem Bericht gar nicht berücksichtigt: Afghanistan, Sudan und Somalia. Das am weitesten oben plazierte islamische Land war Indonesien auf Rang dreiundneunzig. Der Bericht sieht eine halbe Milliarde muslimischer Frauen als Opfer von Gender-Diskriminierung, Unterdrückung und Gewalt. Das gleiche Bild zeichnen Berichte von Human Rights Watch, die Menschenrechtsverletzungen, Unterdrückung von Frauen und religiösen Minderheiten in großem Maße in den islamischen Staaten beklagen. Es drängt sich die Frage auf, wie eine Gesellschaft sich entwickeln kann, wenn sie die Hälfte ih-

rer Bürger daran hindert, ein selbstbestimmtes Leben
zu führen.

Von Steinigung und Burka will ich nicht reden, denn
darüber berichten die westlichen Zeitungen quasi täglich. Ich will eine Geschichte aus meiner Umgebung in
Ägypten erzählen, die nicht nur die Situation der Frau-
en in einem islamischen Land im Besonderen, sondern
auch das Hierarchieverständnis sowie Demokratiedefi-
zite im Allgemeinen verdeutlichen könnte.

Wafaa hat ihren sechzehnten Geburtstag noch nicht
gefeiert, aber sie trägt schon ihr Kind auf den Schultern.
Bei jedem Satz, den sie ausspricht, lächelt sie, dann
blickt sie zu Boden. Auf sie wurden innerhalb weniger
Jahre drei grausame Verbrechen verübt, aber sie lächelt
immer noch. Auch ihre Eltern lächeln und können bis
heute nicht nachvollziehen, was schlimm sein soll an
dem, was sie diesem Mädchen angetan haben. In so einem System ist soziale und physische Gewalt zwar
nicht gewollt, aber sie ist vorprogrammiert. Ich kenne
Wafaa lange und gut, denn sie ist meine Nichte. Ich war
bei ihrer Geburt dabei. Meine Schwester, damals selbst
siebzehn, wollte sie Saada nennen, zu Deutsch Freude.
Aber der Vater bestand darauf, sie wie seine Schwester
Wafaa zu nennen. Das bedeutet Treue, ein Schicksals-
name, der Wafaa später zum Verhängnis werden sollte.
Sie war ein wachsames und kluges Kind, war Klassenbeste und hatte die besten Chancen auf eine gute Bildung, zumal ihr Vater ein Gymnasialschullehrer ist.
Auch ihre Mutter schaffte es bis zur zehnten Klasse.

Vor einigen Jahren war ich in meinem Heimatland
und besuchte meine Schwester und ihre Familie im

Dorf. Wafaa lag im Bett und starrte auf die Wand. Ich
fragte sie, was mit ihr los ist, aber das zehnjährige Mädchen antwortete nicht. Keiner wollte mir erzählen, was
mit ihr passiert war. Später teilte mir mein Bruder mit,
dass Wafaas Eltern sie vor wenigen Tagen hatten beschneiden lassen und dass sie dabei eine große Menge
Blut verloren hatte. Seitdem aß und redete sie kaum
mehr. Jetzt verstand ich den gebrochenen Blick des
Kindes. Schon als Student in Kairo hatte ich versucht,
diesen barbarischen Brauch in meinem Dorf zu stoppen, aber niemand hatte auf mich hören wollen. Die
Kampagne, die ich damals startete, wurde mit Häme
und Spott kommentiert. Kairo habe meinen Kopf ver-
dorben, hieß es. Nun kam ich diesmal nicht aus Kairo,
sondern aus Deutschland zurück; ein noch besserer
Grund, nicht auf mich zu hören. Aber ich konnte nicht
tatenlos zusehen. Zwei Jahre später besuchte ich das
Dorf, organisierte eine Konferenz im Rathaus meiner
Heimatgemeinde und lud sowohl prominente Gegner
als auch beliebte Befürworter der Beschneidung von
Frauen ein. Diesmal wollte ich eine Diskussion und
keine Belehrung. Mein Vater ist ein angesehener Mann
im Dorf, da er der Imam der größten Moschee ist. Ich
konnte ihn davon überzeugen, sein Schweigen zu diesem Thema zu brechen und an der Konferenz teilzunehmen. Ein weiterer Scheich aus Al-Azhar, ein Frau-
enarzt und eine Frauenrechtlerin saßen neben mir und
meinem Vater auf dem Podium. Mehrere hundert Zuhörer füllten die Halle. Viele Frauen trauten sich nicht,
zu der Veranstaltung zu kommen, und blieben draußen, einige jedoch schlichen sich rein und saßen vorne

in der Ecke. Auch Wafaa und ihre Mutter waren anwesend und saßen direkt vor dem Podium.

Mein Vater wollte kein religiöses Rechtsgutachten zu diesem Thema abgeben, sondern seine persönliche Meinung sagen. Er glaube, dass die Beschneidung ein Unrecht der Frau gegenüber ist, und gab zu, dass er in der Vergangenheit den Fehler gemacht habe, dieses Unrecht billigend in Kauf zu nehmen. Die Frauenrechtlerin war seiner Meinung. Der Arzt listete die negativen sozialen, psychischen und gesundheitlichen Folgen der Beschneidung auf. Der berühmte Scheich der Al-Azhar, Abdallah Samak, war der Einzige, der die Beschneidung als eine islamische Tugend bezeichnete, die der Prophet ausdrücklich begrüßte. Er hatte die Mehrheit der Dorfbewohner auf seiner Seite. Meine Rolle beschränkte sich zunächst darauf, die Diskussion zu moderieren, aber als ich die Worte des Scheichs und den ohrenbetäubenden Applaus des Publikums hörte, begann ich mich aufzuregen und dachte an Wafaa, die beinahe an den Folgen der Beschneidung ihr Leben verloren hätte. Ich stand auf und fragte in die Runde: »Wenn eine eurer Töchter bei der Beschneidung verbluten würde, würdet ihr zum Arzt oder zum Scheich gehen?«

Als Wafaa meine Frage hörte, brach sie in Tränen aus. Auch meine Schwester konnte ihre Tränen nicht halten. Nach der Konferenz versprach mir meine Familie, kein Mädchen mehr beschneiden zu lassen. Beim Rest des Dorfes war der Erfolg dieser Konferenz eher mäßig. Ein Jahr später startete ich eine Umfrage über die Beschneidung im Dorf. Das Ergebnis war ernüchternd.

Die Mehrheit tut es nach wie vor, obwohl es mittlerweile gesetzlich verboten ist. Die Entscheidung für die Beschneidung treffen in den meisten Fällen die Frauen, nicht die Männer. Eine UNICEF-Studie von 2010 bestätigt, dass immer noch fünfundachtzig Prozent aller Mädchen in Ägypten beschnitten werden.

Auch im Gymnasium war Wafaa Klassenbeste, war sprachbegabt und träumte davon, später wie ihr Onkel in Deutschland zu studieren. Sie unterhielt sich gerne auf Englisch mit mir. Ich versprach ihr, sollte sie weiterhin in der Schule erfolgreich bleiben, würde ich ihr helfen, in Deutschland zu studieren. Doch es kam ganz anders. Ein zweiunddreißig Jahre alter Mann aus gutem Hause sah sie auf dem Weg zur Schule und verliebte sich in ihre schüchterne Kindlichkeit. Sie war gerade vierzehn. Er hielt bei ihrem Vater um Wafaas Hand an. Dieser sagte sofort zu, da er mittlerweile drei andere Kinder hatte und es im Haus langsam eng wurde. Abgesehen davon hatte er selbst meine Schwester geheiratet, bevor sie sechzehn war.

Eine Frau solle man im frühen Alter heiraten, damit man sie nach seinem Wunsch formen könne, bevor sie eine selbständige Persönlichkeit entwickle. Er war der festen Überzeugung, dass er das Beste für seine Tochter tat. Trotz jungen Alters war Wafaa klug und sensibel, aber sie stand vor der Wahl, ihrer Familie oder ihrem Traum treu zu bleiben. Die Familie ging vor. Sechs Monate später verließ sie die Schule und wurde Ehefrau, ohne Ehevertrag. Denn auch Kindesheirat ist in Ägypten gesetzlich verboten, deshalb musste die Eheschließung mündlich nach islamischem Ritus vollzogen wer-

den. Auch die Nachricht von Wafaas Heirat hatte man
mir damals verschwiegen. Dreißig Tage lang musste das
Kind Gewalt und Demütigung über sich ergehen lassen, ehe sie aus dem Haus ihres Mannes fliehen und zu
ihrer Familie zurückkehren konnte. Ihre Eltern versuchten sie davon zu überzeugen, zu ihrem Mann zurückzukehren, sonst würde man im Dorf über sie läs-
tern, da ihre Ehe nach nur einem Monat scheiterte. Erst
als sie ihnen erzählte, dass ihr »Mann« sie jeden Tag
schlagen und vergewaltigen würde, ließen sie sie bei ihnen bleiben. Wafaa war schwanger, ihre Mutter auch,
zum fünften Mal.

Es war ein Junge. Auch Wafaas Vater suchte für ihn
einen Namen aus: Mohamed, der Gepriesene. Wafaa
wollte das Kind beim Amt ordnungsgemäß anmelden,
doch das ging nicht. Außereheliche Kinder werden
nicht staatlich anerkannt. Nur in diesem Fall greift das
Gesetz durch. Nur wenn es zum Nachteil der Frau ist,
wird es wirksam. Das Kind erhielt keine Geburtsur-
kunde. Erst muss der Vater des Kindes eine Erklärung
abgeben, dass er der leibliche Vater ist, damit die Ur-
kunde ausgestellt wird. Solange dies nicht geschieht,
existiert das Kind für den Staat nicht. Der Vater hatte
natürlich von diesem Vorteil Gebrauch gemacht und
machte die Anerkennung des Kindes davon abhängig,
dass Wafaa zu ihm zurückkehrte.

Erst als mein jüngerer Bruder sah, dass Wafaas Verzweiflung in eine schwere Depression umschlug, rief er
mich in Deutschland an und bat um meine Hilfe. Ent-
rüstet rief ich Wafaas Vater an und fragte ihn, wie oft er
denn seine Tochter noch beschneiden wolle. Ich bot

ihm an, Wafaa in die Schule zurückzuschicken, und ich würde alle ihre Kosten übernehmen. Doch dies beleidigte seinen Stolz. Ich lebe noch, sagte er gekränkt. Außerdem hätte er Sorgen, dass die Mitschüler Wafaa belästigen würden, da sie nun Mutter und geschieden sei. Mir blieb nur übrig, ihm zu drohen, sollte Wafaa nicht binnen drei Wochen in die Schule zurückkehren, würde ich eine Anzeige gegen ihn wegen Anstiftung zur Kindesheirat erstatten. Nur das schien seinen Stolz wieder einzurenken. Obwohl es Wochenende war, brachte er ihre Papiere am gleichen Tag zum Schuldirektor. Ich rief Wafaa an und gab ihr eine Adresse von einem Frauenheim in Kairo und sagte ihr, sie sollte dorthin fliehen, falls ihre Eltern sie wieder aus der Schule nehmen würden. Ich versuchte ihr zu vermitteln, dass zurück in die Schule zu gehen keine Schande sei, sondern ein Grund zum Stolz. Sie kann dadurch ein Vorbild für junge Mädchen im Dorf sein, deren Ehe früh scheitert. Sie schien es kapiert zu haben und ging mit Selbstbewusstsein in die Schule zurück.

Bei meinem nächsten Besuch in Ägypten freute ich mich besonders darauf, Wafaa zu sehen. Sie kam ins Haus mit ihrem Kind auf den Schultern. Ich begrüßte sie auf Englisch. Sie antwortete auf Arabisch und wurde sehr ernst. »Ich habe Englisch vergessen«, sagte sie. »Warum? Ihr habt doch Englisch in der Schule, oder?«, fragte ich. Sie schaute ihre Mutter fragend an und sagte: »Ich gehe nicht mehr in die Schule, aber es war meine Entscheidung. Ich habe keine Lust mehr auf die Schule.« Bevor ihr die Tränen kamen, eilte ihr ihre Mutter zu Hilfe: »Wir wollten, dass sie weiterhin die Schule

besucht, aber sie wollte nicht mehr.« Ihr Vater war gar
nicht erschienen, und das hatte seinen Grund. In Wirklichkeit hatte er sie wieder aus der Schule genommen
und gezwungen, zu ihrem Mann zurückzukehren, damit dieser sich verpflichtet, das Kind anzuerkennen.
Ein zweites Mal war Wafaa ihrer Familie treu und ließ
sich erneut auf dem Altar der Dummheit opfern. Vor
mir standen die beiden Frauen, die eigentlich noch Kinder sind, mit zwei Kindern im Schoß. Wafaa wurde
Mutter, ehe sie sechzehn wurde, ihre Mutter ist mit
vierunddreißig Großmutter geworden. Beide waren
vielversprechende intelligente Schülerinnen, aber sie
wurden einem System geopfert, das Angst vor klugen
Frauen hat und sie deshalb rechtzeitig eingeschüchtert.
Wozu braucht eine Gebärmaschine einen Verstand?
Von den wachen, neugierigen Augen der beiden Mädchen waren nur noch gebrochene Blicke und ein verlo-
genes Lächeln übrig geblieben. Ich rang um Fassung
und fragte mich, wer dieses System ändern sollte, wenn
nicht der Gymnasiallehrer, der Imam und die begabten
Schüler. Da erinnerte ich mich an den Hochzeitstag
meiner Schwester.

Ich war der Hähnchenjäger bei uns zu Hause. Wann
immer mein Vater ein Hähnchen aus unserem Hof
schlachten wollte, beauftragte er mich, es zu fangen.
Ich erinnere mich, dass es ein Abenteuer war, ein Hähnchen in den Griff zu bekommen, da alle Hausvögel sehr
flink waren und sich ständig im großen Hof bewegten.
Außerdem durften sie sich in den Feldern neben dem
Haus austoben. Kaum hatte man den Vogel erwischt,
flatterte er heftig mit den Flügeln, löste sich bald und

sprang schreiend weg. Aber zur Hochzeitsfeier meiner Schwester, Wafaas Mutter, reichten die Haustiere für die mehreren hundert geladenen Gäste nicht aus. Da gingen wir zu einer Farm außerhalb des Dorfes, wo Hähnchen in Käfigen gehalten werden. Ich war erstaunt zu sehen, dass kein Hähnchen heraussprang, als der Farm-Mitarbeiter den Käfig öffnete. Willenlos ließen sie sich von einem Käfig in den nächsten tragen und waren auf der Heimfahrt ausgesprochen ruhig. Sogar beim Schlachten leisteten sie kaum Widerstand. Sie waren zwar fett, schmeckten aber nicht besonders gut.

Ägypten ist eine große Farm mit Käfighaltung. Jeder kennt seinen Platz darin. Egal, wie viele Gesetze das Land aus Verlegenheit verabschiedet, nichts ändert sich, weil die Geisteshaltung die gleiche bleibt. Natürlich gibt es ab und an ein gesundes Huhn, das herumhüpft und die Stimmung einer Veränderung vortäuscht, oder eine flinke Henne, die uns gerne daran erinnert, dass auch Hühner in China misshandelt werden. Sie versuchen das Thema zu Tode zu differenzieren und betonen, dass man die Hühner auf dem Lande nicht mit den Hühnern der Stadt vergleichen dürfe und dass die Hühner in Europa übersexualisiert und als Ware benutzt würden. Irgendwann vergessen sie die Mehrheit, die gerne im Käfig bleibt und sich nur um ihr Futter kümmert. Denen macht es nichts aus, sich von den zermalmten Knochen anderer Hühner zu ernähren. Frauen werden beschnitten, der Wille wird gebrochen, der Intellekt wird kastriert. Die Diktatur entsteht im Kopf.

Du sollst nicht lieben
oder: Der gottgefällige Sex

Nein, der Islam hat nichts gegen Sex, auch nichts gegen guten Sex. Im Gegenteil, der Prophet soll gesagt haben, dass der Kuss oder der Samen, den ein Mann seiner Frau im Ehebett schenkt, ihm im Buch seiner Taten gutgeschrieben wird. Diese Taten werden im Jüngsten Gericht gewogen und entscheiden über Höllenqual oder Paradies. Es gibt sogar Aussagen des Propheten, die den genaueren Ablauf des Geschlechtsakts beschreiben, um dem muslimischen Mann zu erklären, wie er seine Frau zum Höhepunkt bringt. Nur darf diese Sexualität nicht außerhalb der Ehe stattfinden, und das ist keine islamische Erfindung. Der Begriff Ehre, *sharaf*, war immer mit dem Stolz des arabischen Mannes vor dem Islam verbunden. Stolz war man auf seine Vorfahren und seine Blutlinie.

Vor und nach dem Islam waren die Araber nie auf einem Gebiet der Kunst kreativ, außer in der Poesie. Alle anderen islamischen Künste wie Musik und Literatur kamen aus Persien, Indien, Ägypten oder Syrien. Und das arabische Gedicht ging fast immer nach dem gleichen Muster: Man beginnt mit dem Weinen auf einer Ruine, wo die unerreichbare Geliebte vorbeizog, bevor sie für immer verschwand, dann fängt man an, die Vorzüge seines Stammes aufzuzählen und mit den Schandtaten seiner Feinde ins Gericht zu gehen. Eigentlich genauso wie das ägyptische Geschichtsbuch für die Sekundarstufe. Und damit man seine Ahnen ehrt, sollte man sie namentlich im Gedicht nennen. Die genealogische Kontinuität ist dem Araber enorm wichtig. Und damit diese Kontinuität bewahrt bleibt, darf kein fremdes Blut in die Familie hineinfließen. Heiraten unter Verwandten ist ein Weg, dies zu garantieren, die Überwachung der Frau und die strenge Sexualmoral sind die anderen. Denn nur die Frau kann wissen, wer der tatsächliche Vater ihres Kindes ist, deshalb wird oft die Ehre der gesamten Familie zwischen den Beinen der Frau plaziert. Die Jungfräulichkeit wird vergöttert und die unberechenbare Leidenschaft der Frau verdammt. Wie in vielen Sprachen wird der Begriff Hymen auch im Arabischen, *ghishaa al-bakara,* als das Siegel der Jungfräulichkeit übermystifiziert. Keiner wäre auf die Idee gekommen, es etwa als »Liebespforte« oder »stairway to heaven« zu entzaubern. Die Überflutung des ägyptischen Markts mit billigen, künstlichen Hymen aus China im Jahr 2009 sorgte für eine heftige politische Debatte, die die Medien, das Gesundheitsministerium und das Parlament wochenlang beschäftigte. Kein Alptraum scheint für einen Muslim größer zu sein, als in seiner Hochzeitsnacht feststellen zu müssen, dass er nicht der Erste war.

Und so wird die Ehre mit dem arabischen Urprinzip Blut verschmolzen, und beide werden in das Hierarchieverständnis integriert. Elemente aus der Religion kommen hinzu und fügen dem moralischen Stacheldraht weitere Nadeln hinzu. Beschneidung, Verschleierung, Kindesheirat sind einige Praktiken, die diese Hierarchie stützen und die Kontinuität garantieren sollen. Kurzum: Viele Opfer müssen gebracht werden, damit alles bleibt, wie es ist.

Man beharrt auf diesem Moralkodex und merkt nicht, dass die Verleugnung des Körpers eigentlich gegen die Natur des Menschen ist. Das Ergebnis ist die Unterdrückung der Frauen und eine Verstörung der Männer. Denn das moralische Wunschdenken führt nur zu moralischer Desorientierung und zum Samenund Energiestau. Oftmals entlädt sich diese Energie krankhaft oder mündet in Fanatismus und Radikalisierung. Sieben von zehn Ägyptern sind unter dreißig Jahre alt. Die meisten von ihnen können sich aus wirtschaftlichen Gründen erst nach dem dreißigsten Geburtstag einen eigenen Hausstand und eine Eheschließung leisten. Das bedeutet, eine große Mehrheit der Bevölkerung kennt die Sexualität nur aus der Phantasie oder als Sünde. Statt über die Liberalisierung der Sexualität oder die Erleichterung der Eheschließung nachzudenken, sind die Verantwortlichen damit beschäftigt, die Menschen und ihre Gesten noch stärker zu kontrollieren. Alarmierend sind nicht nur die massenhaften sexuellen Belästigungen, die junge Frauen auf den Straßen Kairos neuerdings erleben, sondern auch die Hinwendung vieler frustrierter Jugendlicher zum religiösen Wahn als Ausweg. Die besondere Affinität der diktatorischen Regime zur Unterbindung der Sexualität ist historisch bekannt.

Die Autorin und Frauenrechtlerin Seyran Ates geht in ihrem Buch »Der Islam braucht eine sexuelle Revolution« davon aus, dass das Thema Sexualität die

Hauptbarriere zwischen dem Islam und dem Westen ist. Oft würden muslimische Familien ihre Kinder von der westlichen Gesellschaft abschotten, damit diese nicht in Kontakt kommen mit »Dekadenz« und »Unkeuschheit«. Sie fordert deshalb eine sexuelle Revolution, wie sie in den sechziger Jahren des letzten Jahrhunderts in der westlichen Welt stattgefunden hat. Natürlich täte eine Liberalisierung der Sexualität der islamischen Welt gut, doch darf man nicht außer Acht lassen, dass die sexuelle Revolution in Europa die Krönung und nicht der Anfang eines Prozesses namens Aufklärung war. Eine intellektuelle und eine industrielle Revolution, die die Gesellschafts- und Familienstrukturen änderten, waren ihr vorausgegangen, ehe sie zustande kam. Kant und Voltaire, Clara Zetkin und Sigmund Freud, Rudolf Diesel und Simone de Beauvoir waren zuerst da, bevor, sagen wir, Oswald Kolle sich ans Werk machte.

Die islamische Welt muss zunächst erkennen, dass sie erkrankt ist und dass diese Krankheit im elementaren Denken und im Verständnis dessen, was Tradition bedeutet, liegt. Man kann die Sexualmoral nicht lockern, ohne die Kette, die sie umspannt, vorher zu sprengen. Stammesbewusstsein, Kontinuität, Religion, Gottesbild; das sind die maßgeblichen Kettenglieder, die aneinandergeschmiedet sind und die die Köpfe und die Herzen vieler Menschen in den islamischen Ländern kontrollieren. Auch wenn die meisten unter diesem System leiden, identifizieren sie immer andere Gründe für ihre Misere. Viele weigern sich sogar zuzugeben, dass es überhaupt ein Problem gibt. Ein unge-

schriebenes Abkommen zwischen dem System und
seinen Untertanen führt immer zum Status quo.

Die Frauenproblematik in der islamischen Welt ist
viel komplizierter als die einfache Formel »Böse Männer unterdrücken arme Frauen«. Es geht eher um ein
Menschen- und Gesellschaftsbild, das von der Mehrheit der beiden Geschlechter geteilt und unterstützt
wird. Keiner sorgt mehr dafür, dass Frauen in ihre
Schranken verwiesen werden, als die Frauen selbst. Es
mag daran liegen, dass ältere Frauen, die selbst dieses
Schikanieren erlitten haben, nun den Jüngeren die Freiheit nicht gönnen. Aber auch viele jüngere, gebildete
Frauen bestehen auf der traditionellen Rollenverteilung
und erwarten vom Mann teuren Schmuck und lücken-
lose Versorgung. Sie können sich erst emanzipieren,
wenn sie den Mann emanzipiert haben; wenn sie ihn
von der Last der Männlichkeit befreien. Diese in Not
geratene Männlichkeit ist nicht nur der Ursprung der
Unterdrückung der Frauen, sondern auch eines der
Hauptmotive hinter dem militanten Islamismus.

Im letzten Sommer stieg ich einmal von meinem
Lieblingshügel im Olympiapark herunter und beobachtete dabei die vielen Nordic-Walker und Jogger, die
mir entgegenkamen. Natürlich hingen auch inaktive
Arbeitslose, die sich das Sozialsystem noch leisten
kann, im Park herum und genossen ihre Spirituosen.
Als ich ganz unten war, kam mir eine Familie entgegen,
die ich auf Grund ihres Akzents als Saudis identifizieren konnte. Ein Mann in Shorts und T-Shirt, seine Frau
in der schwarzen *Abaya* und Schleier, lange schwarze
Handschuhe, die von einem Kilo Gold bedeckt wur-

den. Hinter ihnen schob ihr unverschleiertes asiatisches Hausmädchen einen Kinderwagen vor sich her. Der Mann starrte auf den Hintern einer jeden Joggerin, die an ihm vorüberrannte, seine Frau schaute sich jedes Objekt der Begierde ihres Mannes verärgert an, sagte aber nichts. Schließlich machte sie ein paar Schritte zurück und fing an, ohne erkennbaren Grund auf das Hausmädchen einzuschimpfen.

Selbstverständlich kann diese Situation in jeder Familie vorkommen, unabhängig davon, ob sie muslimisch ist oder nicht. Doch sie führt uns ein wenig ein in die Dynamik einer arabischen Familie und zeigt die ambivalente Haltung gegenüber dem Westen – Faszination, Skepsis und Verbitterung. Sie sagt uns etwas über die Hilflosigkeit der Keuschheit und die Grenzen der Moral.

Bildung und Einbildung
oder: Mohamed im Media Markt

Seit über einem Jahrzehnt beschäftigen die Golfstaaten Experten aus Europa und Nordamerika, um ihre Bildungssysteme zu modernisieren. Doch meist waren sie nur an technischer Ausrüstung und visueller Erneuerung der Unterrichtsmethoden interessiert. Über Inhalte lassen die meisten der Staaten nicht mit sich reden, vor allem dann, wenn es um Geschichts- oder Religionsunterricht geht. Dies würde die Grenze ihrer Souveränität verletzen. Die westlichen Experten verstehen das und konzentrieren sich auf Grafiken und Schnickschnack. Und so scheint die Modernisierung in den Golfstaaten wie das moderne Kamelrennen in den vereinigten Arabischen Emiraten: Ein Roboter sitzt statt eines Kameltreibers auf dem Kamel und stimuliert es, schneller zu rennen. Aber wohin? Das schnelle Bauen, die Luxusfassade und die gekauften Kultur- und Sportveranstaltungen am Golf vermitteln vielen die Illusion einer Öffnung. Kunstwerke aus dem Louvre werden nach Abu Dhabi transportiert, aber ähnliche werden dort nicht entstehen, weil der Weg zum Geist dem Louvre in der Wüste versperrt bleibt.

Zwei Dubai-Besuche haben mir in den letzten Jahren gezeigt, dass liberales Denken keine Frage des Wohlstandes sein muss. Ich sah dort eine moderne Form der Apartheid. Abgesehen davon, dass dort die Frauen von dieser Modernisierung kaum profitiert haben, sah ich, wie asiatische Gastarbeiter dort behandelt werden. Mehr als achtzig Prozent der Einwohner Dubais sind Migranten, die unter ganz anderen Bedingungen leben als die einheimischen Araber. Einmal lief ich durch die Altstadt in der traditionellen Golftracht und war erstaunt, dass Migranten immer stehen blieben, als sie mich sahen, um mir den Weg frei zu machen. Sie dachten, dass ich zu den Herrenmenschen mit Ölgeld gehöre. Nur einen Tag später sah ich, wie ein waschechter Ölscheich aus seinem Luxuswagen ausstieg und einen Passanten mit Migrationshintergrund wegschubste, weil er ihm den Weg geschnitten hatte. Danach fragte er ihn nach seinem Namen und seinem Arbeitgeber. Zitternd antwortete ihm der Gastarbeiter und entschuldigte sich mehrmals. Möglicherweise ist er deshalb in seine Heimat abgeschoben worden. Denn im Fernsehen sah ich bei meinem nächsten Besuch einen Monat später den Direktor des Verkehrsamts in Dubai, der die vorbildliche Disziplin der Autofahrer in seinem Revier lobte. »Nur wenige Verkehrssünder gab es in diesem Monat. Sie waren alle Asiaten, und wir haben sie alle nach Hause zurückfliegen lassen.«

Der Wohlstand hat es nicht geschafft, eine demokratische Zivilgesellschaft am Golf entstehen zu lassen, die alle Bürger gleich behandelt. Im Gegenteil, das Erstarken von Hierarchien und angeblicher kultureller Überheblichkeit war das Ergebnis. Zwar entwickelte Dubai wirtschaftliche Alternativen zum Erdöl als Tourismus- und Finanzzentrum, doch vieles wird dort buchstäblich auf Sand gebaut. Der gigantische Al-Khalifa-Turm

ist ein gutes Beispiel. Kurz nachdem das höchste Gebäude der Welt eröffnet wurde, stellte man fest, dass
Dubai unmittelbar vor der Pleite steht. Das Erste, was
im Zuge der Finanzkrise gestrichen wurde, waren ausnahmslos Kulturprojekte, wie der deutsche Kulturma-
nager Michael Schindhelm in seinem Erfahrungsbericht
»Dubai Speed« schreibt. Aber das schien keine Lehre
für die anderen Golfstaaten zu sein. Denn nach der Eröffnung des Megaturms in Dubai kündigte ein saudi-
scher Prinz an, einen noch höheren Turm in seinem
Land bauen zu lassen. Eines scheint die Ölscheichs besonders zu interessieren: Wer hat den Längsten?

Viel schlimmer als in den Emiraten am Golf ist es im
Herzen Arabiens. Jede Erneuerung wird dort sofort
von den wahhabitischen Hütern des Islam zurückge-
pfiffen. Auf westliche Bildungsexperten will man dort
deshalb verzichten und sucht in Asien nach Bildungs-
modellen, die dem arabischen Hierarchieverständnis
entsprechen. Und so wollen die Saudis das japanische
Schulsystem importieren, das auf Disziplin statt Individualität setzt. Die Saudis waren besonders von der Tatsache begeistert, dass der Unterrichtstag in Japan damit
endet, dass die Schüler die Klassenzimmer und die Toiletten sauber machen. Außerdem haben auch die Japaner Erfahrung mit der Unterdrückung der Frau gesam-
melt. Japan war nämlich das einzige Industrieland, das
beim Bericht des World Economic Forums zur Lage
der Frau nicht sehr weit vor den arabischen Nationen
rangierte. Aber auch im Gottesstaat bleibt die Schulre-
form äußerlich, denn man weiß nach wie vor nicht, was
man den Schülern beibringen sollte. Man will wohl,

dass sie genug Bildung erhalten, um produktiv zu werden, aber hinlänglich dumm bleiben, um das System nicht zu hinterfragen. Außerdem, was bringt eine Modernisierung der Bildung, wenn die radikalen Prediger allein in Saudi-Arabien jährlich mit drei Milliarden US-Dollar gefördert werden, um nichts anders zu tun, als Fatwas zu erstellen wie »Wer Tabak raucht, fällt vom Glauben ab« oder »Ein Gläubiger darf einem Patienten beim Besuch keine Blumen mitbringen, denn das ist unislamisch«. Wie weit kann eine Kultur kommen, die Betondecken auf die eigene Geschichte gießt und Angst vor Blumen hat?

Aber die Hüter dieses Systems sind die besten Freunde des Westens. Gegen Bin Laden kämpfen Truppen westlicher Staaten in Afghanistan, aber mit den Herrschern am Golf machen dieselben westlichen Staaten gern Geschäfte. Man hofiert sie und lässt sich von ihnen beschenken. Ein typisches Geschenk des saudischen Königs an westliche Politiker ist ironischerweise ein Schwert. Sogar Papst Benedikt XVI. überreichte der König ein Schwert. Man erlaubte den Saudis sogar, Akademien in Europa und Amerika aufzubauen, die diese Schwertideologie verbreiten. Was tut der Westen nicht alles, um an billiges Öl zu kommen und seine Waffen zu verkaufen. Viele Menschen im Westen können bis heute nicht begreifen, dass Gewaltsysteme nicht im luftleeren Raum entstehen. Man begreift nicht, dass die Art und Weise, wie die Menschen im Westen leben, automatisch die Diktaturen weltweit stützt.

Der damalige US-Präsident Georg W. Bush tanzte mit dem Diktator von Riad, der neue Präsident Barack

Obama verbeugte sich vor ihm und lobte in seiner Kairoer Rede seine Bemühungen um den interreligiösen
Dialog. Aber was für ein Dialog ist das eigentlich? Seit
Jahren boomt diese Dialogindustrie. Immer geht die
Initiative vom Westen aus, dann treffen sich Geistliche
in klimatisierten Räumen und reden über das gemeinsame Erbe Abrahams und singen Loblieder auf »Nathan
den Weisen«. Die tatsächlichen Probleme werden kaum
angesprochen, und so kehrt jeder in seine Ecke zurück.
Hauptsache, die Fördergelder sind geflossen und die
Kameras haben ein paar schöne Bilder eingefangen.
Und wenn es jemand wagt, in die Tiefe der Problematik
vorzustoßen, wird es sofort emotional, und man fängt
an, am anderen vorbeizureden. Der Dialog wird somit
sofort zu einem Gerichtsverfahren, wo jede Seite den
Finger auf die andere richtet.

Auf akademischer Ebene verläuft der Dialog ähnlich.
Auch hier beherrscht die Asymmetrie jeden Versuch
der Annäherung. Vor einigen Jahren arbeitete ich am
Georg-Eckert-Institut für internationale Schulbuch-
forschung in Braunschweig. Meine Hauptaufgabe war
es, ein Netz von arabischen Erziehungswissenschaft-
lern, Historikern und Bildungspolitikern zu knüpfen,
um die Forschung über die Selbst- und Fremdbilder in
den arabischen Schulbüchern anzustoßen. Das Institut
hatte lange Erfahrungen auf diesem Gebiet und leistete
hervorragende Arbeit für die deutsch-französische
Versöhnung und krönte dies mit einem gemeinsamen
Geschichtsbuch für die beiden Nationen. Auch mit Po-
len, Tschechien und Russland wurden konstruktive
Schritte in Richtung Geschichtsverarbeitung unter-

nommen. Nur mit dem Nahen Osten hakte es, und das
lag nicht am Institut und seiner Expertise, sondern daran, dass die Bildungspolitiker in den arabischen Staaten kaum an einer Annäherung interessiert sind. Auf
einer Bildungskonferenz der Arabischen Liga in Kairo
und einer UNESCO-Konferenz in Rabat, auf denen
ich als Referent anwesend war, zeigten sich die meisten
arabischen Teilnehmer nur noch daran interessiert, das
Bild des Islam in den europäischen Schulbüchern zu
verbessern. Gleichzeitig beharrten sie auf den eigenen
Narrativen und sahen sie als Teil ihrer nationalen und
religiösen Identität. Nur die wenigsten schienen verstanden zu haben, dass es nicht darum geht, eine Kultur
gut- oder schlechtzureden, sondern darum, die Ge-
schichtsnarrativen zu dekonstruieren und nicht als un-
antastbare Wahrheiten anzusehen. Denn die Narrativen
sagen uns weniger darüber, was tatsächlich geschah, erzählen uns aber mehr über diejenigen, die die Texte verfasst haben, wie sie selbst ihre Gesellschaft und ihre
Feinde sehen.

Kurz danach war ich für die Organisation einer dieser Konferenzen in Deutschland zuständig. Forscher
und Politiker aus Ägypten, Jordanien und Marokko
waren anwesend. Einige Konferenzpapiere waren zwar
brillant, viele aber apologetisch und belehrend. Ein jor-
danischer Professor beschwerte sich, dass das Hotel
nur drei Sterne besaß und dass das Mittagsbüfett mager
war. In den arabischen Staaten würde er überall in den
besten Hotels unterkommen, wenn er an einer Konferenz teilnimmt. »Ich würde gerne das Ergebnis einer
dieser Konferenzen lesen«, entgegnete ich ihm, und

dachte dabei an seine katastrophale Präsentation bei unserer Konferenz, die lediglich aus einer Lobeshymne auf sein Land und seinen König bestand. Auch ein ägyptischer Professor namens Mohamed war dabei, der für die Ausbildung von Lehrern in Kairo zuständig ist, Educator of the Educators sozusagen. Seine größte Sorge war, dass das Fleisch im Büfett möglicherweise nicht islamisch geschlachtet war. Im Hotel wurde ich um vier Uhr morgens durch seinen Schrei aufgeweckt. Er hatte auf dem Flur laut zum Morgengebet gerufen. Erschrocken eilte ich zu ihm und machte ihn darauf aufmerksam, dass die meisten Hotelinsassen keine Muslime sind und dass das, was er tut, gesetzwidrig ist, weil es als Ruhestörung gilt. Zunächst reagierte er gar nicht auf mich und rief weiter zum Gebet. Nachdem er fertig war und ein paar Gäste aus ihren Zimmern strömten, sagte er, dass er nur sein Recht auf Glaubensfreiheit ausübe. Er war tatsächlich davon überzeugt, dass er die Hotelgäste mit seinem Gesang nicht störte, sondern eher beglückte, da sie den Namen Allahs hören dürften.

Am nächsten Abend saßen wir in einem jordanischen Restaurant und aßen Halal-Fleisch. Doch der fromme Mann wollte sich nicht zu uns setzen, weil es Alkohol am Tisch gab. Ein koptischer Professor trank gerade ein Bier, was Mohamed in Rage brachte. Der gleiche Mann, der gestern den Hotelgästen im Namen seiner Glaubensfreiheit das Recht auf ruhigen Schlaf nahm, wollte einem Christen sein Recht darauf, Alkohol zu trinken, absprechen.

Nachdem die Konferenz vorbei war, ging ich mit

meiner Frau zum Media Markt. Dort trafen wir auf einige Konferenzteilnehmer, auch auf Professor Mohamed. Er stürmte zu mir und wollte, dass ich ihm helfe, den allerneuesten iPod zu kaufen. Er wollte den gesamten Koran darauf abspeichern. Ich suchte einen für ihn aus und sagte: »Wissen Sie, dieser iPod kam zustande, weil jeder hier Bier trinken kann, wann immer er will.« Der promovierte Erziehungswissenschaftler schaute mich fragend an. Natürlich hatte er es nicht verstanden.

Wafaas Vater, der fromme Erziehungswissenschaftler und die Mehrheit der Ägypter beschweren sich über die politische und wirtschaftliche Lage des Landes. Im Prinzip wünschen sich alle eine umfassende politische Veränderung des Systems. Doch kaum einer von ihnen wäre auf die Idee gekommen, dass er selbst das System ist. Viele denken, Demokratie sei eine von oben durchführbare Regulierung. Sie können nicht begreifen, dass die Verfassung, die freien Wahlen und der Parlamentarismus nur Symbole der Demokratie sind und dass die Seele der Demokratie in der Geisteshaltung der Menschen und in ihrem Common Sense liegt. »Der freiheitlich säkulare Staat lebt von Voraussetzungen, die er nicht garantieren kann«, schrieb der ehemalige Verfassungsrichter Ernst-Wolfgang Böckenförde. Wie kann Demokratie eine politische Realität werden, wenn der Vater zu Hause, der Lehrer in der Schule und der Polizist auf der Straße sich wie Gott und Herrscher benehmen? Die Sprache, durch die all diese Menschen die Welt begreifen, ist die autoritäre Sprache. Kultur wird

als ein nicht verhandelbares geschlossenes Gebäude
verstanden, deshalb wird sie oft mit Gewalt in die Köpfe und Körper der Menschen eingepflanzt. Danach
wird die Wahrnehmung der Menschen wie mit Lehm
überzogen, so dass sie nur den Ausschnitt der Welt sehen, der nicht von den Scheuklappen der Dogmen ver-
stellt ist. Daraus entsteht ein Teufelskreis der Gewalt,
in dem jeder jeden unterdrückt: Der Staat unterdrückt
die Menschen, die Menschen unterdrücken einander,
der Lehrer unterdrückt seine Schüler, die Männer ihre
Frauen, die Frauen ihre Kinder. Den Kindern bleiben
am Ende dieser Kette nur die Tiere.

Bildung sei die Lösung, schreien die Reformer. Aber
welche Bildung? Die bloße Alphabetisierung ist keine
Garantie für eine Veränderung. Im Gegenteil, die Halb-
gebildeten und die Indoktrinierten sind wesentlich gefährlicher als Analphabeten, denn sie glauben im Besitz
ewiger und absoluter Wahrheiten zu sein. Und solange
die Bildung in der islamischen Welt sich nicht von der
Religion und von den Ambitionen der politischen Autorität befreit, ist sie eher schädlich als nützlich.

Die Geschichte eines Lehrers aus Alexandrien verdeutlicht, warum Bildung und Autorität in Ägypten
unzertrennlich miteinander verwoben sind. In einem
regulären Test gab der Gymnasiallehrer Ende 2008 seinen Schülern einen kurzen Text über den »gesegneten
Fluss Nil«. Danach stellte er die Multiple-Choice-Fra-
ge »Was ist das Gegenteil von gesegnet: A. schmutzig,
B. gehasst, C. verdammt?«. Wegen dieser Frage verlor
er beinahe seinen Job, er hatte großes Glück und wurde
lediglich vom Gymnasial- zum Realschullehrer degra-

diert. Was war sein Verbrechen? Das Wort »gesegnet«
im Arabischen ist auch der Name des Präsidenten Mubarak. Ein häufiger Name, in einem Land, das vom Se-
gen abhängig ist. Die drei Adjektive, die als Gegenteil
davon zur Wahl standen, wurden von den Bildungsbe-
hörden als eine hinterhältige Beschimpfung des Präsidenten interpretiert. Aber das war noch nicht das Ende
dieses traurigen Witzes. Die offizielle Begründung der
Degradierung des Lehrers war, dass eine Schülerin sich
angeblich bei den Behörden beschwert hatte, dass diese
Frage, die den Präsidenten, das Symbol des Landes,
schmähe, sie depressiv gemacht habe.

Vielleicht würde der Präsident selbst nicht so handeln, und diese Geschichte könnte ihm sogar peinlich
sein, aber die Behörden haben das Verständnis von Autorität so sehr internalisiert, dass sie päpstlicher als der
Papst waren. Kurz danach wurde ein neuer Bildungs-
minister ernannt. Er war der Sohn des ehemaligen In-
nenministers des Landes, der als ziemlich brutal galt.
Nach einer Rede vor dem Parlament in den neunziger
Jahren verwickelte sich dieser Polizeigeneral in eine
Schlägerei mit einem Oppositionsabgeordneten, in der
auch Schuhe eingesetzt wurden. Sein Sohn stand zwanzig Jahre später an seiner Stelle und behauptete, das
Schlagen von Schülern in der Schule sei pädagogisch
korrekt. Schließlich sei auch er als Kind in der Schule
geschlagen worden, und das habe ihm nicht geschadet.
Das bezweifele ich sehr. Erst nachdem er von den liberalen Medien heftig kritisiert worden war, ruderte er
zurück.

The Wind of Change
oder: Der Erlöser kommt aus Wien

Im großen arabischen Lexikon »sehah« stehen folgende Synonyme für das Wort *sha'ab,* das als Übersetzung von »Volk« dient. *sha'ab:* verbieten; verderben; brechen; trennen, zusammenfügen; ein großer Stamm; der Weg zwischen zwei Bergen, die Ferne. Die lexikalischen Widersprüche dieses Wortes zeigen, dass es dabei um etwas ganz anderes geht als bei dem griechischen *demos.*

Auch die unterschiedlichen Konnotationen des Wortes »Gesellschaft« in verschiedenen Sprachen können Hinweise dafür liefern, wie eine Gruppe von Menschen das Gemeinwesen und ihre Rolle in ihm definieren. So lautet das japanische Wort für Gesellschaft 社会 *shakai* und beinhaltet Zeichen, die die Dynamik einer Gemeinschaft erklären: »Menschenwort auf einem sicheren Boden«. Das arabische Wort *mujtama'a* gab es vor der Moderne nicht und wird deshalb aus dem Französischen *societé* (Zusammenkunft der Gemeinde) übersetzt. Aber selbst da war die arabische Übersetzung schief und bedeutete »Sammelort«. Das Wort »Moschee« und das Wort »Universität« bedeuten auf Arabisch ebenfalls »Sammelort« und haben den gleichen Wortstamm wie Gesellschaft. Nicht die Menschen, sondern der Ort, an dem sie sich befinden, steht im Mittelpunkt dieser Begriffe. Das Gleiche gilt für das

Wort *muwaten,* das Synonym für »Bürger« oder *citoyen* ist. Der arabische Begriff impliziert, dass es sich hier um einen Einwohner handelt, der sich zur Ruhe setzt, nicht um einen aktiven Gestalter, der Teil einer Dynamik ist. Das Wort für Heimat ist *watan,* es stammt aus dem Altarabischen und bedeutet »Der Ort, wo die Schafe schlafen«. Das Volk, *le peuple,* als Souverän wird im Arabischen zum *sha'ab,* dem nur Untertanen und Stammesmitglieder zugerechnet werden. Dazu kommt der islamische Begriff *Umma,* die Gemeinschaft aller Gläubigen, unabhängig von Ethnie, Sprache oder Rasse. Diese *Umma* bildet aber eine geographische und anthropologische Trennlinie zwischen den Gläubigen und den Nichtgläubigen. Innerhalb der *Umma* gibt es das Haus des Friedens und außerhalb entweder das Haus des Krieges oder das des Vertrages (Nichtmuslime, die mit Muslimen durch einen Waffenstillstandsvertrag oder ein Friedensabkommen Frieden geschlossen haben). Der Begriff *Umma* taucht im Koran mit vier unterschiedlichen Bedeutungen auf: Gruppe, Konfession, Zeitspanne und Anführer (Imam). Und so bleiben die zivilen Begriffe nicht nur in der Sprache des Korans, sondern auch im kollektiven Denken der urarabischen Sippe gefangen.

Jede Form von Staatlichkeit läuft Gefahr, irgendwann in den Wanderdünen des Islam oder der alten Stammesstrukturen zu versinken. Das liegt zum einen in der Natur des Islam selbst, der eine augustinische Unterscheidung zwischen *Civitas Dei* (Gottesstaat) und *Civitas terrena* (irdischer Staat) nicht kennt, und zum anderen in der Unsicherheit der Muslime, die im

Laufe der Jahrhunderte versäumt haben, Alternativ-
identitäten neben dem Islam und dem Stamm zuzulas-
sen. Beispiele für einen Gottesstaat wie Afghanistan,
der Iran, Saudi-Arabien, Nigeria, Somalia und der Sudan, die aus der Mischung von Scharia und Sippenmo-
ral einen politischen Alptraum errichteten, scheinen für
viele Muslime nicht erschreckend genug zu sein. Der
Traum von einer vereinten islamischen *Umma* unter
dem Gesetz der Scharia scheint für viele nach wie vor
eine attraktive Option zu sein.

Der prominente Muslimbruder Wagdy Ghoneim,
der eine große Anhängerschaft in Ägypten und darüber
hinaus hat, erklärte den Zuhörern seines Vortrags einst,
was Demokratie ist: Ein Mann will einen Mann heiraten. Wenn die Mehrheit im Parlament dem zustimmt,
wird es zum Gesetz. »Ist es das, was wir wollen?« –
»Nein«, schreien seine Anhänger. »Demokratie ist wie
Schweinefleisch, ekelhaft. Wozu brauchen wir sie, wenn
wir hier gesundes, leckeres Rind- und Lammfleisch haben? Wir haben den Text des Korans, die *Hadithe* des
Propheten, die uns sagen, was Sache ist. Wir haben die
shura (Stammesberatung), den Konsens der Gelehrten.
Aber da, wo es einen Text gibt, gibt es keine Meinung.«

Menschen, die für eine Demokratisierung kämpfen,
fühlen sich von der vermeintlich säkularen Regierung
und den radikalen Islamisten, wie diesem Prediger, in
die Zange genommen. Wenn der Vorwurf des Vater-
landsverrats nicht taugt, so greift der Vorwurf der Blas-
phemie immer. Aber wie steht es mit den säkularen politischen Parteien in Ägypten? Der ehemalige Präsident
der internationalen Energiebehörde, Mohamed El-Ba-

radei, kam Ende 2009 nach Ägypten zurück, nachdem seine Amtszeit in Wien geendet hatte, und zeigte seine Bereitschaft, für die bevorstehenden Präsidentschaftswahlen 2011 zu kandidieren. Der Mann, der vor fünf Jahren den Friedensnobelpreis erhielt und kurz danach mit dem höchsten Orden Ägyptens von Präsident Mubarak persönlich als herausragende Persönlichkeit geehrt wurde, stand nach seiner geplanten Kandidatur plötzlich unter Beschuss der Staatsmedien. Ihm wurde nicht nur Mangel an politischer Erfahrung unterstellt, sondern er wurde in seiner Integrität angegriffen. Während seiner Studienzeit hätte er immer die schlechtesten Noten unter seinen Kameraden gehabt, hieß es in einer Regierungszeitung. Außerdem sei er für den Irakkrieg durch seine Berichte über Massenvernichtungswaffen verantwortlich. Die religiösen Oppositionsmedien zogen nach und warfen ihm vor, er sei aus Europa zurückgekommen, um gegen Gott und seinen Propheten einen Feldzug zu führen, denn er kündigte an, nicht die Scharia, sondern eine liberale Verfassung als Basis für die Gesetzgebung zu verwenden. Sogar die säkularen Parteien distanzierten sich von ihm, denn sie fürchteten offenbar, er würde ihnen durch seine Kandidatur die Show stehlen. Sie haben sich damit abgefunden, gegen die Regierungspartei anzutreten, zu verlieren und vor dem Volk als Opfer dazustehen. Bei Präsidentschaftswahlen wissen sie, dass sie gegen den amtierenden Präsidenten keine Chance haben, und lassen sich gerne mit ein paar Sitzen abspeisen.

Diese Parteien sind nur wie »gefrorene Hähnchen«, schrieb Ägyptens Bestsellerautor Alaa Al-Aswani. Diese würden nur auftauen und sich bewegen in den Zeiten der Wahlen, danach kehren sie ins Gefrierfach zurück. Al-Aswani vergleicht Ägypten mit einer Fußballmannschaft, deren talentierteste Spieler auf der Reservebank sitzen, während die alten, verbrauchten und ideenlosen Spieler ihre schweren Beine übers Feld schleppen. Aber der Trainer will sie trotzdem nicht auswechseln, weil er sie mag oder weil sie für ihn keine Gefahr darstellen. Al-Aswani hat recht, denn Loyalität und nicht Effizienz ist immer das Kriterium für ein Amt im Kabinett oder einen Sitz im Parlament. Der Zweck der Politik in Ägypten ist es, dass die Sache läuft, nicht, dass sie sich entwickelt.

Ein Präsidentschaftskandidat braucht laut der Verfassung des Landes aber die Zustimmung von zwei Dritteln der Parlamentsmitglieder, um bei der Wahl antreten zu dürfen. Die regierende Nationalpartei, deren Chef Präsident Mubarak selbst ist, würde der Kandidatur El-Baradeis nicht zustimmen, da auch der Sohn des Präsidenten, der selbst Präsident der Politikkommission innerhalb der Partei ist, den Anspruch erhebt, das Amt seines Vaters, selbstverständlich auf demokratischem Wege, zu erben. Sowohl die islamische Al-Azhar-Institution als auch der Patriarch der koptischen Kirche begrüßten das Vorhaben des Präsidentensohnes. Beide Oberhäupter der Religionsgemeinschaften sind dem Staat unterstellt. Der neue Al-Azhar-Scheich war sogar bis zu seiner Ernennung durch den Präsidenten in März 2010 Mitglied der regierenden Nationalpartei.

El-Baradei verstand, dass er bei den Massen nur punkten kann, wenn er auch mit ihren religiösen Gefühlen spielt. So besuchte er innerhalb von zwei Wochen zwei große Moscheen in Kairo und in der Provinz und betete mit den Gläubigen vor laufender Kamera. Der Imam der Moschee fürchtete um sein Amt und fing an, während der Predigt Präsident Mubarak zu loben und jede Auflehnung gegen ihn als Auflehnung gegen Gott zu bezeichnen. Er mahnte »die Abtrünnigen«, zu Gott zurückzukehren und ihre Loyalität zum Präsidenten zu zeigen, denn seine Herrschaft sei der Wille Gottes. Die Anhänger El-Baradeis, die in ihm eine Art Messias sehen, verließen daraufhin die Moschee und fingen an, gegen Mubarak zu skandieren. Demonstranten wurden schließlich überall in Ägypten verhaftet und schwer misshandelt. Einige Abgeordnete empfahlen, auf sie zu schießen. Sogar in Kuwait wurden ägyptische Gastarbeiter verhaftet, die T-Shirts mit El-Baradeis Foto trugen. Siebzehn von ihnen wurden nach Ägypten ausgeliefert. Die arabischen Diktatoren, die sonst bei Treffen der Arabischen Liga nie auf einen gemeinsamen Nenner kommen und sich gegenseitig auf übelste Weise beschimpfen, sind sich in einem wesentlichen Punkt allerdings einig: in der Unterdrückung ihrer Untertanen.

Ein anderer verlorener Sohn kehrte ebenfalls nach Ägypten zurück und wollte etwas für seine Heimat tun. Nachdem er 1999 mit dem Nobelpreis für Chemie ausgezeichnet worden war, kam Professor Ahmed Zewail aus den USA, wo er fast seine gesamte wissenschaftliche Karriere verbracht hatte, nach Ägypten zurück und wollte eine Wissensrevolution entfesseln. Auch er wurde vom Präsidenten geehrt, und die Verantwortlichen ließen sich gern mit ihm fotografieren. Doch als er sein Vorhaben zur Eröffnung eines wissenschaftlichen Exzellenzzentrums in Ägypten offenlegte, ging man auf Distanz zu ihm. Denn Zewail wollte, dass sein Zentrum unabhängig vom Staat existiere, damit freie Forschung sich entfalten könne. Seit zehn Jahren kämpft der Wissenschaftler mit den bürokratischen Labyrinthen und den politischen Tricks, die ihm im Wege stehen. Sein Zentrum bleibt nur die ambitionierte Idee eines Visionärs, der an den Betonköpfen der Macht zu zerbrechen droht.

Nicht nur die Politik steht der Wissenschaft im Wege, sondern auch eine europäische mittelalterliche Mentalität, die sich breitmachte und den »westlichen« Wissenschaften sehr skeptisch gegenübersteht. Besonders von religiöser Seite wird diese Wissenschaft fälschlicherweise entweder als Eingriff in die Schöpfung verstanden oder als Quelle irreführender Erkenntnisse, die Gottes Einwirken auf die Natur leugnen und behaupten, Menschen würden von den Affen abstammen. Manche empfinden sogar Schadenfreude, wenn die Technik oder die Wissenschaft versagt, etwa wenn Europäer an AIDS sterben, wenn ein Genforscher an Krebs erkrankt oder wenn eine Weltraumfähre abstürzt, schreibt der ägyptische Arzt Khaled Montaser. Diese Vorkommnisse werden als die Strafe Gottes für Menschen verstanden, die sich als Schöpfer sehen und keine Demut vor Gott zeigen.

Die Muslime im Mittelalter übersetzten die Werke anderer Völker, importierten aus China die Kunst der Herstellung von Papier und aus Indien das Dezimalsystem der Zahlen. Der große Philosoph Ibn Rushd (Averroes) sprach bereits im dreizehnten Jahrhundert von der »doppelten Wahrheit«, die eine scharfe Trennung zwischen den rationalen Erkenntnissen der Wissenschaft und den metaphysischen Erkenntnissen des Glaubens ermöglichte. Die Wissenschaft kann die Offenbarung nicht bestätigen, und die Offenbarung spricht die Sprache der Wissenschaft nicht, deshalb müssen sie einander weder ausschließen noch bestätigen, schrieb der Philosoph von Córdoba. Heute übersetzen alle arabischen Staaten zusammen in einem Jahr weniger als das, was Griechenland oder Spanien alleine ins Griechische beziehungsweise Spanische übersetzen. Die Wissenschaft wird entweder vernachlässigt oder dazu benutzt, um zu beweisen, dass die Aussagen des Korans korrekt sind. Das Buch »Die Wissenschaftszeichen des Korans« ist seit Jahren ein Bestseller in allen arabischen Staaten. Darin versucht der Autor beispielsweise zu beweisen, dass die Stellungnahmen des Korans zur Entstehung des Universums und zu den Stufen des Lebens eines Embryos im Mutterleib den Erkenntnissen der modernen Wissenschaft entsprächen. Dieses Buch wird oft als Mittel der Missionierung von jungen Europäern eingesetzt, die kaum wissenschaftliche Kenntnisse besitzen und sich dadurch beeindrucken lassen.

In ihrem Buch »Die unaufhaltsame Revolution« stellen Youssef Courbage und Emmanuel Todd fest, dass die Geburtenrate in der islamischen Welt drastisch zurückgeht. Brachte eine muslimische Frau 1975 im Schnitt 6,8 Kinder zur Welt, so waren es 2005 nur 3,7. In

Ländern wie dem Iran und Tunesien soll die Geburtenrate sogar auf das Niveau von Frankreich abgesunken sein. Diese Entwicklung sei, so die Autoren, auf die Alphabetisierung, vor allem der Frauen, zurückzuführen, die wiederum als Ausdruck einer Störung der traditionellen Gleichgewichte und der Familienstrukturen zu deuten sei. Wo Frauen lesen und schreiben können, geht die Geburtenrate unabhängig von der wirtschaftlichen Entwicklung zurück. Allerdings bringe der Geburtenrückgang in einer Kultur eine Identitätskrise oder eine Art kollektive Depression mit sich. Die Autoren stellen einen direkten Zusammenhang zwischen demographischer Entwicklung und dem Zusammenbruch der Religiosität her, und das nicht nur im Falle des Islam. So war der Glaubensverlust eine unmittelbare Folge des Geburtenrückgangs in Westeuropa, Russland und China. Im Falle des Islam sei der Rückgang der Religiosität nicht, wie es beim Katholizismus der Fall ist, die Voraussetzung für die demographische Modernisierung, sondern es verhalte sich vielmehr umgekehrt, denn der Islam sei prinzipiell nicht gegen Verhütung.

Den Vormarsch des Islamismus sehen die Autoren als eine nur »augenblickliche Bewegung« und nicht als das Ende der islamischen Geschichte. Sie deuten den Fundamentalismus als vorübergehende Notwehr eines in »Bedrängnis geratenen Glaubens, der seine Verfechter auf den Plan ruft«. Was die beiden Statistiker außer Acht lassen, ist, dass der Fundamentalismus kein modernes Phänomen, sondern eine immer wiederkehrende Strategie der Muslime ist. Allerdings stimmt ihre

Einschätzung, dass das Problem des heutigen Islam als eine Krise des Übergangs zu verstehen ist. Denn auch Ende des neunzehnten Jahrhunderts zeigte die Modernisierung der europäischen Gesellschaften ihre Schattenseiten. Mit der Alphabetisierung der Massen und der Schärfung ihres Bewusstseins gehen stets soziale Turbulenzen und massive psychische Störungen einher. Die Autoren zitieren die Studie von Émile Durkheim aus dem Jahre 1897, die einen direkten Zusammenhang zwischen der steigenden Selbstmordrate und der zunehmenden Alphabetisierung der französischen Bevölkerung damals herstellte. Auch im heutigen China und Indien kann der Zusammenhang zwischen Suizid und Wirtschaftswachstum hergestellt werden. Die Autoren machen den Fehler, diesen Suizid mit den Selbstmordanschlägen muslimischer Terroristen zu vergleichen, denn alle soziologischen und psychologischen Studien zu den Motiven der Täter schlossen mentale oder psychopathologische Störungen der Täter aus. Denn hier handeln die Täter aus einer Überzeugung heraus und nicht unbedingt, weil sie lebensmüde sind.

Und dennoch bleibt die Einschätzung nachvollziehbar, dass Alphabetisierung und Modernisierung auf eine Gesellschaft destabilisierend wirken und politische Umwälzungen mit sich bringen, wie die Revolutionen in England, Frankreich und Russland zeigen. Auch in Indonesien brachte die Bildung breiterer Bevölkerungsschichten erst heftige Gewaltausbrüche mit sich, bevor es zu einer Demokratisierung kam. Denn Söhne, die lesen und schreiben können, akzeptieren oft die Autorität ihrer Eltern nicht und wollen ihren eigenen

Weg gehen. Für muslimische Frauen gilt das allerdings leider noch nicht. Außerdem kommt es nicht nur auf die Alphabetisierung an, sondern auch darauf, was die jungen Menschen lesen. Neben dem vorhin erwähnten Buch »Die Wissenschaftszeichen des Korans« steht in den meisten Buchhandlungen von Kairo bis Casablanca oft eine Fülle an religiösen Büchern, die in der Regel zehnmal billiger sind als ein Roman oder ein politisches Buch. Die Mehrheit dieser Bücher wird mit Petrodollars subventioniert und verbreitet deshalb eine radikal wahhabitische Ideologie über die bösen Ungläubigen und die Qualen der Hölle. Halbgebildete, sexuell frustrierte und wirtschaftlich unzufriedene junge Muslime verschlingen diese Bücher. Anders als Analphabeten haben sie auch Zugang zum Korantext, was früher nur Gelehrten vorbehalten war, aber sie verfügen nicht über das nötige analytische Denken, das sie gegen die Tyrannei der Dogmen und die Demagogie der radikalen Gruppen schützt. Gleichzeitig ist diese junge Generation den Verführungen der Moderne und des Konsums wie keine andere ausgeliefert. Abdelwahab Meddeb spricht von einer Amerikanisierung der Moderne, die es Menschen ermöglicht, an der Konsumgesellschaft teilzuhaben, ohne ihre Seele zu reformieren. Die Gleichzeitigkeit von Radikalisierung und Amerikanisierung verschärft die Schizophrenie und zerfrisst die arabische Welt von innen.

In der Tat laufen überall in der islamischen Welt Individualisierungsprozesse ab. Die Söhne befreien sich vom Mainstream-Islam ihrer Eltern, der die Autorität verherrlicht. Aber welche Alternativen finden die jun-

gen Männer auf dem Markt des Glaubens und der Ideologien? Da sie kaum zivilgesellschaftliche Strukturen
vorfinden, landen sie oft bei extremistischen Gruppen,
die den Islam als eine Revolution sehen, aber nicht als
eine Revolution gegen das alte Denken, sondern gegen
die Ungläubigen.

Ich teile Youssef Courbages und Emmanuel Todds
Einschätzung, dass die Religiosität in der islamischen
Welt abnimmt und dass es mehr und mehr zur Abkapselung des Individuums vom Konformitätsdruck kommt.
Doch, abgesehen davon, dass man die Entwicklung einer
Kultur nicht alleine durch Statistiken nachvollziehen
kann, reichen Bildung und Individualisierung alleine
nicht aus, um eine Gesellschaft grundlegend zu verändern, wenn sie nicht in demokratische Strukturen münden. Das Zusammenbrechen alter Strukturen kann
durchaus auch zur Freisetzung von kriminellen Energi-
en und von Anarchismus führen. Eines spricht allerdings
für Emmanuel Todd, einem der beiden Autoren des Buches. Er war es, der seinerzeit den Zusammenbruch der
Sowjetunion in einer Zeit vorhersah, in der keiner es für
möglich hielt. Ich würde mich sehr freuen, wenn auch
seine Prophezeiung über die rasante Modernisierung
des Islam in Erfüllung ginge. Mein Verstand sagt mir
aber, dass es Wunschdenken ist.

Zwischen Renaissance und Radikalisierung oder: Muslime in der Fremde

Der Untergang des Islam wird bereits indirekt von Mohamed selbst prophezeit. Mohamed sagt aber auch die Wiedergeburt des Islam in einer fremden Umgebung vorher: »Der Islam ist als Fremder geboren und wird als Fremder wiederkehren.« Diese Prophezeiung wird auf zweierlei Art und Weise interpretiert: Reformorientierte Muslime sehen in ihr die Hoffnung, dass die Reform und die Liberalisierung des Islam im Westen erfolgen wird. Einer der Vertreter dieser These ist der in London lebende Islamwissenschaftler und Philosoph Tariq Ramadan, der für »radikale Reformen« des Islam plädiert. Nur durch die Zulassung einer multiplen Identität, die es einem Gläubigen ermöglicht, Muslim und Europäer gleichzeitig zu sein, können Muslime, laut Ramadan, in Europa Fuß fassen. Seine radikalen Reformen scheinen aber nicht mehr als eine Beruhigungsspritze zu sein, um die entfachte Kontroverse über den Islam zum Erliegen zu bringen. Der Koran und der Prophet bleiben unantastbar. Die Verse des heiligen Buches könne man nicht tilgen, meint Ramadan. Auch Scharia als Konzept und Anleitung zur Lebensführung der Muslime wird von ihm nicht in Frage gestellt. Er will aber nicht zu den Gesetzen der Scharia zurückkehren, sondern zu deren Absichten, *maqasid,*

die er hauptsächlich als Gerechtigkeit und Frieden
identifiziert. Nicht nur Ramadans charismatische Qua-
lität, sondern auch die Tatsache, dass er der Enkel von
Hassan Al-Banna, dem Gründer der Muslimbruderschaft, ist, verschaffte ihm nicht nur eine große Anhängerschaft unter Muslimen in Europa, sondern machten
ihn auch zum gefragtesten Islamexperten bei vielen
Kulturveranstaltungen und sogar bei europäischen Politikern. Ich halte Ramadans Diskurs allerdings eher für
einen Teil des Problems denn für einen Teil der Lösung.
Denn er vermittelt zwar den Eindruck, dass etwas in
Bewegung ist, doch handelt es sich dabei nur um die
gleichen alten verbrauchten Reformrezepte, die zwar
das Wort Veränderung benutzen, jedoch das etablierte
orthodoxe Denken eher stärken denn schwächen. Verglichen werden mit der Ramadan-Bewegung kann die
in Amerika ansässige türkische Gülen-Bewegung, die
sich für eine islamische Bildung und eine Versöhnung
zwischen Islam und moderner Wissenschaft stark-
macht. Während die einen sie für eine fortschrittliche
Bewegung halten, sehen andere sie als fundamentalis-
tisch im modernen Gewand. Die Bewegung, die vom
türkischen Prediger Fethullah Gülen gegründet wurde,
soll bereits mehrere Millionen Anhänger haben in der
Türkei, in Nordamerika, Europa und in den muslimischen Staaten der ehemaligen UdSSR. Weltweit sollen
über eintausend Schulen der Bewegung existieren. Die
Islamkritikerin Necla Kelek wirft dem Begründer der
Bewegung eine »dogmatische und reaktionäre Denk-
weise« vor und unterstellt ihm politische Ambitionen.
Als Reaktion auf die Institutionalisierung des Islam

in Europa durch konservative Moscheevereine sind auch viele private Initiativen entstanden, die säkularen und liberalen Muslimen eine Stimme geben. Die Fraueninitiative säkularer Musliminnen in Frankfurt und das Forum für einen fortschrittlichen Islam in Zürich sind zwei Beispiele dafür.

Mehr Anhänger als Ramadan, Gülen und die säkularen Vereine scheinen allerdings die orthodoxen Muslime in Europa zu haben. Diese interpretieren die Aussage des Propheten über die Wiedergeburt des Islam in der Fremde kämpferischer und fundamentalistischer: In einer Moschee in Paris hörte ich, wie der Imam Mohameds Worte so auslegte:

»Die Herrscher in der islamischen Welt sind unislamisch und unterdrücken die Gläubigen. Die Herrscher hier (in Europa) sind auch unislamisch, aber sie garantieren zumindest, dass wir unseren Glauben einigermaßen frei ausüben können. Dadurch können wir uns versammeln, ohne Angst davor zu haben, verhaftet zu werden. Deshalb sollten wir den Konflikt mit den Systemen hier nicht suchen. Wir müssen diese Freiheit nutzen, um uns neu zu organisieren. Die zweite Geburt der Macht des Islam wird hier erfolgen. Und wenn der Sieg Gottes kommt, werden die Ungläubigen hier den Islam scharenweise annehmen. Auch der Islam ist in einem Migrationskontext in Medina geboren. Muslime waren dort fremd und schwach, doch später konnten sie mit Allahs Hilfe den Staat Gottes errichten, bevor sie den Islam nach Mekka zurücktrugen. Auch wir können einen starken Islam in die islamische Welt zurückexportieren. Das sind wir unseren unterdrückten Brüdern dort schuldig.«

Die Worte jenes Pariser Imams erinnern an Recep Tayyip Erdoğans Rede, bevor er Ministerpräsident der Türkei wurde. Darin betonte er: Die Demokratie sei nur der Zug, auf den er aufsteige, bis er am Ziel sei. Die Moscheen seien Kasernen, die Minarette Bajonette, die Kuppeln Helme und die Gläubigen seien Soldaten.

Genau da sehe ich das Hauptproblem der muslimischen Emigranten in Europa und Nordamerika. Statt die Freiheit zu nutzen, um sich von autoritärem Denken und Herrschaftsansprüchen zu lösen und eine neue Theologie auf der Basis der Vernunft in Europa entstehen zu lassen, benutzen sie die demokratischen Mittel, um die Demokratie zu unterwandern. In Kanada und Großbritannien kämpfen Muslime seit Jahren, um die Scharia, zumindest teilweise, einzuführen. In Großbritannien sollen sogar, laut einem Bericht der britischen Zeitung »Guardian«, bereits fünfundachtzig Scharia-Gerichte Teil des britischen Justizsystems sein. Die muslimischen Eiferer können nicht verstehen, dass viele Einwanderer aus den islamischen Ländern ihre Länder auch wegen der Brutalität der Scharia verlassen haben. Natürlich betonen sie, dass nur Scharia *light,* also ohne Steinigung und Händeabhacken, im Westen implementiert werden soll, um die familiären Konflikte untereinander islamisch zu regeln. Doch die Geisteshaltung, die die westlichen Zivilgesetze in dieser Hin-

sicht als mangelhaft betrachtet, ist weitaus gefährlicher
als die bloße Einführung der Scharia-Gesetze. Deshalb
ist nicht Scharia *light*, sondern Islam *light*, ohne Scharia
und Dschihad in meinen Augen die einzige Lösung.

Statt ihr Leben im Westen als Ansporn für eine tatsächliche Erneuerung des islamischen Denkens zu sehen, um dieses später in ihre Ursprungsländer zu ex-
portieren, wollen viele in der Fremde lebende Muslime
das veraltete Denken aus der Heimat importieren, im
Gefrierfach der Tradition einfrieren und nennen das
»Identität«. Statt Akteure zu werden, um die islamische
Welt aus der Isolation zu holen und als Kulturvermitt-
ler zu dienen, isolieren sich die Emigranten selbst und
leben sogar strenger religiös als viele in jenen Ländern,
denen sie entstammen. Strenger Moralkodex und unversöhnliche, puristische Lebensformen sind sichtbare
Phänomene unter muslimischen Emigranten.

Unterstützt werden die Bemühungen der Muslime,
sich abzuschotten, von vielen Europäern, wie von Bi-
schof Williams von Canterbury, der die Scharia in
Großbritannien gutheißt. Dies tut er selbstverständlich
nicht im Namen der christlichen Nächstenliebe, sondern um für seine Kirche selbst mehr Einfluss auf die
Justiz und die Politik zu gewinnen. Ähnlich verhalten
sich linke Intellektuelle, die Islamkritik in Europa gerne mit Rassismus gleichsetzen und dadurch die Streitkultur noch mehr verkrampfen. Ein Maulkorb wird
schneller verpasst als jedem Argument mit einem Gegenargument begegnet. Die Sarrazin- und die Minarett-
Debatte haben dies verdeutlicht. Die Kritik wird oft
nur als Stimmungsmache und Wasser auf den Mühlen

der Fremdenfeindlichkeit gesehen. Der Vergleich zwischen Islamkritik und Antisemitismus ist ein typisches Argument. Man erinnert an die schrecklichen Ereignisse vor siebzig Jahren in Deutschland, um anzudeuten, dass die Muslime die Juden von heute seien. Damals hätten auch die Antisemiten vor der Judaisierung Europas gewarnt, genauso wie die Islamophoben heute vor der Islamisierung des Abendlandes warnten.

Auch ich vergleiche die Muslime mit den Juden in Europa, aber dafür gehe ich ins achtzehnte und neunzehnte Jahrhundert zurück, und mich interessieren dabei nicht Parallelen in Aspekten der Ausgrenzung und Diskriminierung, sondern ich widme mich der Frage, wie es den Juden damals gelingen konnte, die Isolation zu durchbrechen und sich zu verbürgerlichen. Natürlich war der Druck der Mehrheit auf die Juden groß, und die Politik stellte Bedingungen, wie etwa eine berufliche Anpassung und ein neues Erscheinungsbild in der Öffentlichkeit. Aber auch Juden selbst ergriffen die Initiative durch Teilhabe an Bildung und Wohlstand. Sie änderten ihre Berufsstrukturen und wählten mehr und mehr bürgerliche Berufe wie Arzt und Anwalt. Die Voraussetzung dafür waren eine gute Bildung und die Beherrschung der deutschen Sprache. Es gab damals keine Sprachförderprogramme für Minderheiten und auch keinen Integrationsbeauftragten. Ein religiöser Gelehrter wie Moses Mendelssohn setzte sich bei seinen Glaubensgenossen damals nicht nur für Talmud-, sondern auch für Deutsch- und Philosophieunterricht ein. Aus diesem Geist ist die *Haskala,* die jüdische Reformation entstanden. Man mag behaupten, dies habe den Juden später nichts genutzt, da sie trotz ihrer Bemühungen Opfer des Rassenwahns geworden sind. Dies ist jedoch ein falscher Einwand, denn es gibt keinen Zusammenhang zwischen der Emanzipation der Juden und dem Holocaust. Außerdem kam die *Haskala* den europäischen Juden zugute, als sie in die USA oder nach Palästina auswanderten. Dort konnten sie an dieses Gedankengut anknüpfen und demokratische Wissensgesellschaften aufbauen. Die Haltung, die Moses Mendelssohn bei den Diaspora-Juden angestoßen hatte, ermöglichte ihnen, Juden zu Hause und Deutsche auf der Straße zu sein. Diese Haltung vermisse ich bei vielen Muslimen, die jede andere Identität gegenüber ihrem Glauben als unterlegen betrachten. Deshalb fällt es ihnen auch so schwer, ihre religiösen Symbole aus dem öffentlichen Raum zu verbannen.

Nach dem negativen Ergebnis der Volksabstimmung über Minarette in der Schweiz und dem vereitelten Attentat auf den Mohamed-Karikaturisten Kurt Westergaard in Dänemark hatte ich die Hoffnung, dass endlich eine unverkrampfte Streitkultur entstehen würde, in der über die Themen Islam und Migration eine tiefgründige Debatte geführt werden könnte. Meine Hoffnung wurde durch einige Medienbeiträge in der islamischen Welt beflügelt, die diesmal die Wutindustrie in der islamischen Welt nicht anzukurbeln versuchten, sondern Besinnung und Zurückhaltung anmahnten. Die ägyptische Wochenzeitung »El-Youm Al-Sabea« fragte sogar in einem kritischen Bericht nach den Sünden der Muslime, die diese ablehnende Haltung gegenüber dem Islam in Europa verursacht hätten. Zu dieser

Zeit fing die Islamkritik anscheinend an, Früchte zu
tragen, und dies ließ meine Hoffnungen auf einen neu-
en Denkprozess unter Muslimen über die eigenen Versäumnisse blühen.

Und in Europa? Zwar wurden einige äußerst seltene
islamkritische Beiträge in den Mainstream-Medien veröffentlicht, doch bald hatte sich meine Befürchtung bestätigt: In Europa wird ein Maulkorb schneller gefertigt
als jedes Gegenargument.

Allein am 14. Januar 2010 veröffentlichten die »Süddeutsche Zeitung« und der Berliner »Tagesspiegel«
zwei Beiträge, die von der gleichen Person hätten stammen können. In einem Artikel für die »Süddeutsche
Zeitung« mit dem Titel »Unsere Hassprediger« ver-
glich Thomas Steinfeld Islamkritiker wie Henryk M.
Broder und Necla Kelek mit den von ihnen kritisierten
islamischen Fundamentalisten. Der ganze Text scheint
– zumindest im Tenor – nur eine Abschrift des Beitrags
von Claudius Seidl in der »Frankfurter Allgemeinen
Sonntagszeitung« vom 10. Januar zu sein. Dort waren
die Hassprediger sogar »heilige Krieger«. Im Berliner
»Tagesspiegel« vom 14. Januar 2010 wundert sich An-
dreas Pflitsch über die scharfe Islamkritik, die aus den
muslimischen Reihen kommt, und nennt diese »den
kalten Krieg der Aufgeklärten«. Die Beiträge einiger
Islamkritiker wie des in den USA lebenden Islamwis-
senschaftlers Ibn Warraq, des Vorsitzenden des Zen-
tralrats der Ex-Muslime Mina Ahadi und des Verfassers
dieser Zeilen, Hamed Abdel-Samad, sieht Pflitsch als
»plumpes Aufwärmen alter Ressentiments«, das mit
dem Programm der Aufklärung nicht zu verwechseln

sei. Was Herr Pflitsch zwischen den Zeilen sagen woll-
te, ist meines Erachtens dieses: »Was Kritik und was
Aufklärung ist, das bestimmen immer noch wir. Musli-
me, die sich artikulieren können und das Heft in die
Hand nehmen, gibt es nicht und darf es nicht geben,
deshalb müssen wir Deutsche dies übernehmen, um
Muslime vor sich selbst zu schützen.« Nein, vielen
Dank, Herr Pflitsch, aber ich heile mich lieber selbst!

Solche Beiträge mögen zwar gutgemeint sein, sie helfen uns aber keineswegs, zu einer ehrlichen Debatte zu
gelangen, und bewegen die Muslime auch nicht dazu,
die eigene Lethargie abzuwerfen. Im Gegenteil, diese
Vorwürfe bestätigen die hartnäckigen Verschwörungstheorien und zementieren die Opferhaltung vieler
Muslime.

Man mag manche Islamkritik für überzogen oder
provokativ halten. Ich persönlich bin nicht mit allem
einverstanden, was Necla Kelek oder Henryk M. Broder sagen, und habe einiges an ihrem Stil zu kritisieren.
Doch deren Islamkritik halte ich nicht für das Hauptproblem des Islam, sondern für einen Spiegel dieses
Problems. Der Islam hat ein Problem mit sich selbst,
mit seinen Ansprüchen und Weltbildern. Und ihm läuft
die Zeit davon. Relativismus und Wundenlecken sind
da die falschen Rezepte.

Ein altägyptisches Sprichwort sagt: »Der wahre
Freund bringt mich zum Weinen und weint mit mir.
Der ist aber kein Freund, der mich zum Lachen bringt
und innerlich über mich lacht.« Wer Muslime tatsächlich ernst nimmt, muss Islamkritik üben. Wer mit ihnen
auf gleicher Augenhöhe reden will, sollte mit ihnen

ehrlich sein, statt sie als Menschen mit Mobilitätsstö-
rungen zu behandeln. Schlimm genug ist es, wenn jemand Menschen für Behinderte hält, die keine sind.
Noch schlimmer ist es, wenn er anfängt, vor ihnen zu
hinken, um die Behinderung vorzutäuschen, in der Illusion, sich mit ihnen dadurch zu solidarisieren.

Tatsächlich sind die meisten Muslime, die im Westen
wohnhaft sind, in keinen islamischen Vereinen organi-
siert und leben eher unauffällig, und sie spielen auch
keine Rolle, weder bei der Öffnung des Islam Richtung
Westen noch bei der Entschärfung der radikalen Tendenzen unter manchen Muslimen in der Fremde. Es ist
wohl ihr gutes Recht, ihr Leben *nicht* islamisch interpretieren zu müssen oder sich für die Taten islamistischer Fanatiker zu entschuldigen. Doch genau aus den
Reihen dieser säkularen Muslime kommen oft die am
meisten beleidigten Reaktionen auf Islamkritik. Statt
die tatsächlichen Probleme, die diese Religion mit sich
selbst und der Welt hat, anzusprechen, sind sie eher damit beschäftigt, das Image des Islam in der Öffentlichkeit zu polieren. Sie kritisieren nie, was Muslime anderen Muslimen antun, sondern erheben ihre Stimme nur,
wenn jemand den Islam angreift.
  Es ist offensichtlich, dass es in den vergangenen Jahren, vor allem seit dem 11. September 2001, und zwar
sowohl seitens der Muslime als auch seitens der europäischen Politik, zu einer Islamisierung der Migranten-
problematik kam. Während die Politik bis in die neunziger Jahre des zwanzigsten Jahrhunderts von »Gastarbeitern« sprach, wird seit dem Anfang des dritten

Millenniums von »Muslimen in Deutschland« gesprochen. Heute betonen mehr Muslime in Deutschland ihre muslimische Identität und legen Wert darauf, ihre religiösen Symbole in der Öffentlichkeit zu zeigen. Hinter dieser neuen Sichtbarkeit steckt aber nicht, wie häufig angenommen wird, die Omnipotenz des Islam, sondern eher eine wachsende Unsicherheit unter muslimischen Einwanderern. Ihre Haltung zu den Konflikten in ihren Heimatländern wird dadurch oft verkrampft. Anders als die Menschen in der Heimat, die einen Konflikt manchmal rational und praxisbezogen interpretieren können, neigt die Diasporagemeinschaft häufig dazu, zu Konflikten in den Herkunftsregionen in einer praxisfernen Emotionalität Stellung zu beziehen.

Nehmen wir den Nahostkonflikt als Beispiel, so können wir beobachten, dass besonders unversöhnliche Töne und besonders kompromisslose Haltungen vor allem aus Kreisen der muslimischen und jüdischen Gemeinden in den USA und Europa zu hören sind. Während die Menschen vor Ort miteinander ringen und verhandeln, um praktikable Lösungen zu finden, glauben in der Diaspora die wenigsten an den Dialog und die Möglichkeit vernünftiger Kompromisse. Während in Israel regelmäßig Tausende mit der Forderung an die eigene Regierung auf die Straße gehen, die besetzten palästinensischen Gebiete zu verlassen und die jüdischen Siedlungen zu räumen, hört man so gut wie keine Kritik an der israelischen Politik seitens der jüdischen Diaspora, obwohl mehr Juden im Ausland leben als in Israel selbst. »Die Diaspora hat ein schlechtes Gewissen. Die Leute sagen: Uns geht's hier gut. Es steht uns nicht zu, den Menschen in Israel zu sagen, was sie tun und lassen sollen. Wir sollen sie einfach unterstützen, meinen sie«, antwortete Avi Primor, der ehemalige israelische Botschafter in Berlin auf meine Frage »Warum ist die Diaspora emotionaler und kompromissloser als die Menschen zu Hause?«.

Es gibt Tausende von Palästinensern, die täglich nach Israel einreisen, um dort zu arbeiten. Ein palästinensischer Stipendiat, den ich in Bonn bei einer Tagung traf, nannte diese Menschen Kollaborateure und Verräter. »Solche Leute sind daran schuld, dass wir bis heute keinen eigenen Staat haben. Sie verkaufen unsere Sache für ein bisschen Geld.« Heute reisen Bosnier von bosnischen Dörfern in serbische, um dort billigen Mais zu kaufen. Viele von ihnen haben Familienmitglieder im Krieg verloren. Trotzdem geht das Leben für sie weiter. Denn sie haben zunächst einmal ganz elementar zu überlegen, wie sie ihre Kinder ernähren können. Ein Bosnier, der die Region verließ, als der Krieg ausbrach, sagte mir, er könne sich nie vorstellen, einem Serben die Hand zu reichen oder durch serbische Gebiete zu fahren.

Eine derart starre Haltung wird oft von einer übertriebenen Religiosität begleitet, die sich als »symbolische Rückkehr« interpretieren lässt. Diese soll als eine Art Wiedergutmachung oder Entschädigung gegenüber der Heimat und der Familie dienen, denen man den Rücken gekehrt hat.

Ein Emigrant kommt in der Regel mit einem bestimmten »Lebensprojekt« in die Fremde und interessiert sich wenig für die Umstände im Gastland. Genauso wenig interessiert sich das Gastland für das »Lebensprojekt« des Neuzugewanderten. Von ihm werden lediglich Loyalität und die Erfüllung der Aufgabe, für die er einwandern durfte, erwartet. Viele der Hoffnungen, die Menschen in die Emigration treiben, bleiben für die meisten, auch nach einem langen Aufenthalt in der Fremde, unerfüllt. Die Wünsche nach Reichtum, Freiheit, Unabhängigkeit und Mitsprache gehen nur für sehr wenige in Erfüllung. Für arme Neuzuwanderer bleibt auch in der Fremde das Verhältnis von Armut und Reichtum unverändert. Auch wenn man in der Fremde finanziell besser gestellt ist als zu Hause, ist man hier doch wiederum meistens der Ärmere.

Interessant ist, dass die muslimischen Immigranten in Europa, solange Vollbeschäftigung unter ihnen herrschte, nie auf die Idee kamen, große repräsentative Moscheen zu bauen. Erst als aus den Gastarbeitern viele Gastarbeitslose geworden sind, wollten sie prachtvolle Gotteshäuser bauen, um zu beweisen, dass sie in Europa angekommen sind. Dafür gibt es eine plausible psychologische Erklärung: Da die meisten Immigranten weder durch großen Wohlstand noch durch Bildung ihre Integration vorweisen können, wollen sie dies durch die Errichtung der Gebetshäuser kompensieren: Manche kaufen sich eben einen dicken BMW, andere aber engagieren sich für den Bau von Moscheen, um zu zeigen, dass sie es in der Fremde zu etwas gebracht haben. Die andere Erklärung dafür ist die Zeitökonomie. Solange die Immigranten Beschäftigung hatten, hatten sie keine Zeit, um über solche Projekte nachzudenken.

Erstaunlich ist, dass der Bau von Moscheen nun nicht nur von Immigranten, sondern auch von europäischen Politikern als Zeichen der Integration gedeutet wird. Abgesehen davon, dass prachtvolle Moscheen die Lebensverhältnisse der meisten muslimischen Einwanderer nicht widerspiegeln, kann deren Bau auch nicht der Beginn eines Integrationsprozesses sein. Erst wenn Einwanderer durch Teilhabe an Bildung und Wohlstand sich in die Gesellschaft eingliedern, können repräsentative Moscheen als Krönung des Integrationsprozesses errichtet werden. Erst dann würden diese bei der Mehrheitsbevölkerung nicht mehr auf Ablehnung stoßen.

In der Fremde gehört man zu einer unterprivilegierten Minderheit. Vielfältige Abhängigkeiten vom Gastland, wie von der Aufenthaltsverlängerung, vom Asylverfahren, vom Arbeitgeber oder von der Sozialhilfe, bestimmen den Aufenthalt eines Muslims in Deutschland. Diese Abhängigkeiten verletzen den Stolz eines Mannes aus dem Orient. Man könnte statt »Stolz« auch »Männlichkeit« sagen, denn die Worte »Mann« und »Stolz« sind in vielen arabischen Begriffen miteinander verflochten.

Die eher marginale Stellung der Religion in der Gesellschaft sowie der in Europa übliche »aufgeklärte« Umgang mit den heiligen Symbolen verunsichern Menschen, für die das Heilige unantastbar ist. Ein arabischer Student berichtete mir, dass er entsetzt gewesen sei, als sein deutscher Kommilitone einen Witz erzählte, in dem er Jesus, Maria und die unbefleckte Empfängnis verspottete. »Wie kann eine Gesellschaft, die ihre eigene Religion nicht versteht und gar nicht respektiert, unsere verstehen oder respektieren?«, fragte der arabische Student, der Jesus und Maria, wie sie im Koran dargestellt sind, als heilige Personen ansieht. Im aufgeklärten Europa unterliegt alles der kritischen Betrachtung. Der arabische Student bewunderte dies, meinte aber auch: »Ich kann es mir nicht leisten, die Grundlagen meiner Religion und meiner Kultur in Frage zu stellen. Kritik ist eine Sucht, eine europäische Krankheit, von der man nie geheilt werden kann. Ich kann darauf verzichten, alles zu analysieren oder zu verstehen, aber auf meinen Glauben kann ich nie verzichten. Glauben ist eine Frage des Vertrauens. Wenn ich alles verstehe, wo bleibt dann das Vertrauen?«

Das Leben der Muslime in Europa ist von dem Widerspruch geprägt, als Minderheit in nichtmuslimischen, säkularen und sich rasant wandelnden Gesellschaften leben zu müssen. Ein Spagat zwischen den importierten Bräuchen und den europäischen Normen ist oft das Ergebnis. Der Glaube wird zum leitenden Identitätsmerkmal, und die Migration wird als Exil empfunden oder als solches mystifiziert. Deswegen erhöht sich für Emigranten die Bedeutung der Religion. In der Fremde bietet sie auch Identitätssicherheit, Geborgenheit und Trost. Deshalb sind Religion, Heimatverbundenheit, ethnische und kulturelle Identität in der Diaspora kaum voneinander zu trennen. Religion wird in der Fremde zu einer Heimat, aber keine Heimat, in der die Muslime leben, sondern eine, die in ihnen lebt. Sie wird in der Fremde zum Ersatz für die

Umma. Das Festhalten an der Religion bringt einem Respekt und Ansehen innerhalb der konservativen Kreise in der Diaspora ein und bietet gleichzeitig eine Möglichkeit zur »symbolischen Rückkehr« zu Sippe und Heimat. An Beispielen für das zähe Festhalten an der überkommenen Religion in der Diaspora mangelt es nicht: erwähnt seien etwa die deutschen Protestanten, die Mitte des neunzehnten Jahrhunderts nach Südchile auswanderten und dort inmitten des Araukanergebietes ländliche Siedlungskolonien errichteten; die Rolle des Katholizismus bei den Iren in den USA oder jene des Talmud bei den über die gesamte westliche und teilweise auch östliche Welt verstreuten jüdischen Gemeinden bis zur Gründung des Staates Israel.

Doch jede Minderheit musste irgendwann über den eigenen Schatten springen und Wege finden, aus der Isolation auszubrechen, um sich in der fremden Umgebung zurechtzufinden. Frau Seki ist Japanerin und betreibt einen Online-Asia-Laden in der bayerischen Kleinstadt Rosenheim. Als sie mit ihrem Mann vor zehn Jahren nach Deutschland kam, sprach sie kein Wort Deutsch. »Ich stand oft im Bahnhof und hatte Angst vor dem Lautsprecher, weil ich nichts verstand. Wenn man nicht kommunizieren kann, entwickelt man zwangsläufig eine Abneigung gegen seine Umgebung.« Dass die Läden in Deutschland früh schließen und der Service zu wünschen übrig lässt, hatte sie früher auch sehr gestört. Doch langsam erkannte sie, dass Nörgeln ihr nicht weiterhelfen kann, fing an, Deutsch zu lernen, und machte sich sogar selbständig. »Jetzt kann ich verstehen, was die Leute sagen, und ich kann meine Wün-

sche zum Ausdruck bringen. Das nimmt mir meine
Angst und macht das Leben ein Stück schöner«, sagt
sie. Nun kann sie sogar ihren beiden Kindern bei den
Hausaufgaben helfen. Selbstverständlich haben auch
ihre Kinder Identitätsprobleme, fühlen sich weder
deutsch noch japanisch. Aber »die Eltern sollten sich
da neutral verhalten und diese Konflikte nicht verschärfen«, sagt sie.

Frau Seki fühlt sich in Deutschland nicht nur integriert, sondern »verschmolzen«. Sie schätzt an den
Deutschen deren Lockerheit und Großzügigkeit gegenüber Fremden. Auch gefällt ihr, dass die Deutschen nicht
so streng sind im Umgang mit der Zeit. So redet man
zum Beispiel von einer Zugverspätung erst, wenn der
Zug mindestens fünf Minuten zu spät kommt. In Japan
setzt die Verspätung bereits nach fünfzehn Sekunden
ein.

Das japanische Wort für Integration mag die Haltung
von Frau Seki erklären: *yuuwa*, 融和, besteht aus zwei
chinesischen Zeichen, das erste heißt »verschmelzen«,
das zweite »Harmonie«. Verschmelzen in Harmonie ist
das Konzept für Integration, wie der Japaner es versteht. Selbstverständlich leben auch Japaner in Parallel-
gesellschaften in Düsseldorf, Paris, Kopenhagen und
London. Sie feiern ihre Feste, trinken Saki, kochen japanisch und pflegen ihre Gewohnheiten. Aber wenn sie
auf der Straße gehen, bestehen sie nicht auf ihre Eigen-
heiten und stellen durch ihr Erscheinungsbild kein
Sonderbewusstsein zur Schau. Vietnamesen, Thailän-
der und Peruaner verhalten sich nicht anders. Über diese spricht man nicht, wenn man Ausländerproblematik

oder Integration in Europa thematisiert. Nein, es steht fast immer die gleiche Gruppe von Emigranten im Mittelpunkt, weil sie auf ihrer Besonderheit im öffentlichen und im privaten Raum insistiert. Es sind immer Muslime, die ihren Migrationshintergrund in den Vordergrund stellen. Keine andere Emigrantengruppe verbietet sonst den eigenen Kindern, aus religiösen oder aus traditionellen Gründen an Klassenfahrten oder am Schwimmunterricht teilzunehmen. In England legte ein muslimischer Busfahrer eine Pause ein, mitten auf seiner Route, und fing an, vor den Fahrgästen zu beten. In Dänemark klagte eine muslimische Kindergärtnerin, weil ihr das Tragen der Burka im Kindergarten verboten wurde. In Berlin klagte ein Schüler vor Gericht, um einen Gebetsraum an seiner Schule eingerichtet zu bekommen. In Frankreich verlangten muslimische Fabrikarbeiter in ihren Betrieben nach islamisch geschlachtetem Fleisch in den Kantinen. Als ihnen dies zugestanden wurde, verlangten sie in der Kantine einen getrennten Bereich, damit das Halal-Fleisch nicht neben dem unreinen Schweinefleisch stehe.

Das Wort für Integration auf Arabisch, *indimadj*, bedeutet zwar ebenfalls »verschmelzen«. Aber »verschmelzen« im arabischen Verständnis hat eine sehr negative Konnotation und meint eher »sich auflösen«. Ich sehe viele muslimische Emigranten wie einen Würfel Eis und die Mehrheitsgesellschaft wie ein Glas Wasser. Um die Form des Würfels zu bewahren, wird viel Energie gebraucht und viel Widerstand geleistet. Der Würfel verharrt lieber im Gefrierfach. Dies hindert viele Emigrantenkinder daran, eine positive Beziehung zu ihrem

Geburtsland zu entwickeln. Anspruchsmentalität und der Wunsch nach Bewahrung oder Verteidigung der Identität hemmt ihre sozialen Kompetenzen und verstärkt ihre Isolation, was ich als wichtigste Voraussetzungen für eine mögliche Radikalisierung werte.

In Europa gibt es drei Formen der Radikalisierung unter muslimischen Einwanderern, die oft miteinander vermischt und allesamt fälschlicherweise als »islamisch« interpretiert werden. Erstens gibt es den *archaischen Konservatismus*, eine Tendenz, die häufig in Migrantengruppen vorkommt, die aus ländlichen, patriarchalisch geprägten Regionen stammen, in denen der Bildungsstand niedrig ist und Stammesgesetze angewendet werden. Diese Form muss nicht notwendigerweise auf religiösen Überzeugungen beruhen. Dennoch wird die Religion häufig für alle möglichen Ansichten und Handlungen instrumentalisiert. Die Gewalt, die in dieser Atmosphäre entsteht, ist für gewöhnlich nicht gegen das Gastland gerichtet. Vielmehr werden die »Abtrünnigen« der Diaspora-Gemeinschaft Opfer familiärer Gewalt, da ihnen die Gefährdung der Integrität und Stabilität dieser Gemeinschaft und ihrer Werte zur Last gelegt wird. Beispiele für diese Form der Radikalisierung sind Ehrenmord und Zwangsheirat. Charakteristisch für diese Milieus sind Forderungen nach bedingungsloser Solidarität und sozialer oder moralischer Kontrolle.

Zweitens sind junge Menschen, die in schwachen sozialen Strukturen aufwachsen, besonders anfällig für eine Form der Radikalisierung, die ich als *Eskapismus* bezeichnen möchte. In diesen Fällen ist weder die eigene Familie noch die Gastgesellschaft in der Lage, eine adäquate Lebensführung anzubieten. Frustration und mangelnde berufliche Perspektiven treiben diese Jugendlichen an, kriminelle Banden zu bilden, die zu unkontrollierten Gewaltausbrüchen neigen. Ob in Berlin-Neukölln, im Stadtviertel Nørrebro in Kopenhagen oder in Malmö in Schweden, in Brüssel, in Birmingham oder in den Vorstädten von Paris, man trifft immer auf das gleiche Problem. Auch hier muss nicht unbedingt die Religion entscheidend sein, sondern die soziale Lage. Doch die Religion kann ein Faktor in den Revierkämpfen werden, wenn zum Beispiel türkische und marokkanische Jugendliche nicht mehr gegeneinander kämpfen und sich gegen eingewanderte Russen oder Deutsche verbünden.

Drittens gibt es den *religiösen Avantgardismus*. Die Avantgardisten nehmen generell Abstand von den traditionellen islamischen Vereinen und sehen sich als Vorhut einer politisch-religiösen Revolution. Gerade diese Form scheint für arabische Studenten und deutsche Konvertiten attraktiv zu sein. Haben sie sich einmal von ihrem familiären Milieu entfernt (biographische Wende), isolieren sie sich und werden so eine leichte Beute für radikale Gruppen. Dennoch soll zwischen Tendenzen der Islamisierung und islamistischen Versuchen der Mobilisierung für den internationalen *Dschihad* klar unterschieden werden. In der Tat folgen viele türkische Islamisten in Deutschland der Illusion einer Islamisierung Europas, doch sie scheinen weder ein Konzept noch die Mittel dafür zu haben.

Einige dieser Organisationen mögen problematisch

sein, weil sie manchmal die Integrationsverweigerung
fördern und die Absonderung der Zuwanderer unterstützen. Sie profitieren aber vom friedlichen Leben ihrer Mitglieder in Deutschland, wie sie auch von deren
Absonderung profitieren, und dies wissen sie sehr wohl
zu schätzen. Europa bietet ihnen zudem den Luxus,
dort auch extreme Meinungen und Haltungen vertreten zu können.

Ein arabisches Sprichwort sagt: »Man beißt nicht die
Hand, die einem das Futter reicht.« Die militanten Extremisten kommen deshalb selten aus der Mitte der eta-
blierten Organisationen. Doch wenn eine dieser Organisationen ständig von der Islamisierung Europas
spricht, aber kaum dahin gehende Schritte unternimmt,
kapseln sich einige eifrige Mitglieder an den Rändern
von ihr ab, weil sie den Status quo, den diese Vereine
vertreten, nicht mehr ertragen. Und so kann man auch
diese Organisation für die Radikalisierung verantwortlich machen.

Die USA haben bekanntlich manches Unheil in der
Welt angerichtet. Viele Menschen in Japan, Korea, Viet-
nam, Chile, Argentinien und Kuba hatten unter der aggressiven Machtpolitik der US-Amerikaner zu leiden,
warum aber jagen sich nur Muslime im Kampf gegen
die USA und den Westen in die Luft? Von geopolitischen Problemen und Identitätskonflikten sind viele
Auswanderer betroffen, aber fast ausschließlich unter
den Muslimen drücken sich diese Konflikte in kompromissloser Religiosität oder sogar Gewalt aus.

Die Ursachen für Gewalt und Terror kann man

selbstverständlich nicht alleine auf die Religion und auf den Koran zurückführen. Politische Unruhen, soziale Probleme und die Persönlichkeitsstrukturen der Terroristen dürfen nicht außer Acht gelassen werden.

Dennoch kann man der Religion in dieser Frage keinen Persilschein ausstellen. Denn erst sie ermöglicht es dem Attentäter, in eine metaphysische Welt einzutreten, die einer kalkulierten politischen Tat eine sakrale Dimension verleiht. Die Bezeichnung der Ungläubigen im Koran als Vieh, das nur essen und genießen könne, entmenschlicht diese und lässt kein Mitleid mit ihnen zu. Die Vorstellung, Teil eines göttlichen Plans zu sein, trennt die Attentäter von der realen Welt und erleichtert es ihnen, alle Brücken hinter sich einzureißen.

Jeder Mensch in der modernen Welt, der sein heiliges Buch als die wortwörtliche Sprache Gottes bezeichnet, die bindende Handelsanweisungen für den Alltag beinhaltet, gilt als Fundamentalist. Nur bei Muslimen heißt das »gläubig«. Wären die Muslime heute eine kleine Minderheit in der Welt, würde man mit ihnen eher wie mit einer Sekte umgehen. Denn in vielen Punkten, wie zum Beispiel der Vorstellung vom Weltuntergang, unterscheiden sie sich kaum von den Zeugen Jehovas. Dieses absolute Denken macht für Muslime die in Europa vorherrschende Ambivalenz und den allerorten vorzufindenden Relativismus schwer erträglich.

Aber auch säkulare Muslime sind nicht davor gefeit, irgendwann zum Glauben zurückzukehren. Wer die Biographien der mutmaßlichen Attentäter von New York, Madrid und London daraufhin untersucht, wel-

che Rolle die Religion im Radikalisierungsprozess ge-
spielt hat, stellt fest, dass es sich häufig nicht um Menschen handelt, die ihre Kindheit und Jugend in Koran-
schulen verbracht haben, sondern um Menschen, die
mit dem Westen sehr vertraut sind. Man wird ausfindig
machen, dass diese Lebenswege keineswegs arme, zu-
rückgebliebene, ungebildete, unerfahrene und naive
Menschen zeigen, die ihr Leben in der religiösen Abge-
schiedenheit verbrachten. Sie beschreiben eher Menschen, die vieles erlebt haben, die Wanderer zwischen
den Welten waren und die sich wohl hauptsächlich wegen ihrer Verunsicherung und Isolierung radikalen Organisationen anschlossen. Alle hatten unterschiedliche
Lebensziele und -perspektiven vor Augen, ehe sie sich
zum Schritt in den Terrorismus entschlossen. Die Religion war zwar nicht der Motivationsfaktor ihres terroristischen Handelns; sie wurde aber in einem späteren
Stadium zur Hauptlegitimierung dieses Handelns eingesetzt.

Noch etwas kann man bei ihnen feststellen: Es handelt sich bei diesen Personen häufig um Konvertiten,
die die Religion erstmals entdecken, oder es sind Re-
Konvertiten, die ihre Religion neu für sich erfinden.
Beide Gruppen sind nicht in religiöse Strukturen hin-
eingewachsen, sondern haben nach Enttäuschungen
oder Überforderungen explizit Zuflucht bei der Religion gesucht. Konvertiten und Re-Konvertiten scheinen
zudem besonders anfällig für übertriebene Religiosität
und moralischen Purismus zu sein. Ein mittelalterlicher
islamischer Geistlicher, Al-Imam Al-Schafi'i, schrieb
einmal: »Ich liebe die Gläubigen, auch wenn ich mit

ihnen nichts am Hut habe, und ich hasse die Sünder,
selbst wenn ich mit ihnen die Sünden teile.«

Die Attentäter können natürlich nicht für alle Muslime
weltweit repräsentativ sein. Doch an ihnen kann man
die Spaltung und kulturelle Desorientierung einer ganzen Generation junger Muslime messen. Die Begeisterung für die westliche Lebensform und der heftige Zu-
spruch zu modernen Konsumgütern bei gleichzeitiger
religiös-ideologischer Indoktrinierung und einer Isolation vom Geist der Zeit schafft die explosive Mischung,
die den Terrorismus beflügelt und die ich als Haupt-
grund für den Untergang der islamischen Welt sehe.
Diejenigen Menschen, die vor der Idee der »Verseu-
chung« ihrer »wahren kulturellen Identität« zurück-
schrecken oder die unfähig sind, mit fremden Werten
zurechtzukommen, tendieren zu einem Rückzug in die
Isolation. Die Konfrontation mit dem europäischen
Alltag nimmt rapide ab und die Kräfte der Anpassung
schwinden zunehmend. Die innere Spannung bleibt jedoch dieselbe. Menschen, die in diese Enge geraten,
sind unfähig, den zunehmenden Druck und die Erwar-
tungen an ihre Person zu reduzieren oder gar zu vermeiden. Sie ziehen es vor, die Konflikte, die sie zerrei-
ßen, auf die Welt um sich herum zu projizieren. Ein
konstruierter, imaginärer Islam unterstützt sie mit einer
»wütenden Antwort« auf ihre soziale Lage, wie er ihnen auch die geopolitischen Konflikte erklärt, die sie
für ihre Situation verantwortlich machen. Wie diese
»wütenden Antworten« aussehen können, ist an den
Attacken auf New York, Madrid und London deutlich

abzulesen. Aber die terroristischen Anschläge von Luxor, Bali, Istanbul, Dar El-Salam, Kairo, Djirba, Kara-
tschi, Bagdad und Kabul zeigen, dass diese Wut auch
die islamischen Gesellschaften von innen zerreißt. Man
darf nicht vergessen, dass bei über vierzehntausend von
Islamisten verübten Terroranschlägen in den letzten
Jahren die große Mehrzahl der Opfer Muslime waren.

Häresie als Chance
oder: Der postkoranische Diskurs

Ein Fallschirmspringer wurde vom Sturm ergriffen und landete auf einem großen Baum in der Wildnis, weit weg von der Stadt. Weit und breit war kein Mensch zu sehen. Doch plötzlich tauchte aus dem Nichts ein gutgekleideter Mann auf. Der in der Patsche sitzende Fallschirmspringer rief vom Baum aus: »Hallo, kannst du mir bitte sagen, wo ich bin?«

Der Gentleman antwortete: »Selbstverständlich, gerne, du bist auf dem Baum, und du musst runter, viel Glück!«

»Bist du ein Islamreformer?«, fragte der Mann auf dem Baum.

»Ja, woher wusstest du das?«, fragte der Passant erstaunt.

»Erstens sagst du mir, was ich schon weiß, zweitens hilft es mir nicht weiter, und drittens, du nervst!«

Islamreformer leben davon, dass das Wort *Reform*, vor allem wenn davor das Wort *Islam* steht, in der heutigen Welt extrem sexy klingt. Aber diese Reformer waren über ein Jahrhundert lang nicht imstande, die nötigen Reformen durchzusetzen. Die Unantastbarkeit der Religion stand ihnen immer im Wege und ließ ihre Bemühungen buchstäblich im Sande verlaufen. Wie die religiösen Fundamentalisten sind auch die Reformisten vom Text des Korans besessen. Während die Terroristen

im heiligen Buch nach Rechtfertigung für Gewalt suchen und finden, stöbern auch Liberale nach friedferti-
gen Passagen, die das Zusammenleben ermöglichen.
Beide stärken damit die Autorität eines Buches, das für
die Bedürfnisse einer vormodernen Gemeinde aus dem
siebten Jahrhundert entstanden war und im einundzwanzigsten Jahrhundert nichts zu suchen hat. Bei diesen Reformern fehlen die letzte Konsequenz und der
Mut, dafür zu plädieren, den Koran endgültig zu entmachten und aus dem politischen Diskurs zu verbannen.
Die katholische Kirche hat sich nicht selbst von innen
reformiert, sondern wurde von außen gedrängt, sich zu
verändern. Erst als sie die Macht verlor, verhandelte sie
ihre neue Rolle in der Gesellschaft aus einer Position der
Schwäche heraus. Das Gleiche muss auch mit dem Koran geschehen. Erst muss die Haltung zu ihm als dem
unveränderlichen Wort Gottes hinterfragt werden, bevor eine historisch-kritische Exegese möglich wird.

Für eine zeitgemäße Interpretation des Korans und
eine Annäherung an die Moderne plädieren die selbst-
ernannten Reformer und betonen im gleichen Atem-
zug, die eigene Tradition und kulturelle Eigenständig-
keit nicht zu opfern. Genau das machte Bin Laden. Er
löste sich von der traditionellen Interpretation des Korans, die eine Rebellion gegen den Herrscher nicht zulässt. Durch eine Hermeneutik des Korans gelang es
ihm, den Dschihad zu privatisieren und den Massen-
mord an Zivilisten zu rechtfertigen. Auch er nähert sich
der Moderne und bedient sich modernster Technik,
ohne sich das Gedankengut, das dahintersteckt, zu ei-
gen zu machen.

Die Islamreformer tanzen auf der Treppe zwischen Ost und West. Die, die im Erdgeschoss sind, sehen sie nicht, und die, die oben sind, bekommen von ihrem Tanz nichts mit. Sie flirten mit der Moderne, wollen mit ihr hemmungslosen Sex ohne Verhütung haben und dennoch nicht davon schwanger werden. Sie tänzeln einen Schritt nach vorne und zwei nach hinten und vermitteln die Illusion einer Dynamik. Ein Teil der Verwirrung und Stagnation in der islamischen Welt ist diesen Reformern zuzuschreiben.

Politische Reformer sind da nicht viel anders. Regelmäßig wechselt Mubarak sein Kabinett aus. Kein Mensch weiß, nach welchen Kriterien er Minister ernennt oder feuert. Oft bleiben Minister Jahrzehnte im Amt, die offensichtlich ineffektiv und vom Volk ungeliebt sind, wie etwa der Kulturminister, der seit fünfundzwanzig Jahren im Amt ist. Oft aber verschwinden reformorientierte Minister, kurz nachdem sie einen Reformplan vorgeschlagen haben, wie die frühere Sozialministerin Al-Talawi, die einen Plan für Sozialversicherungen für zweihundertfünfzigtausend Ägypter einreichte, die in bitterer Armut lebten.

»Es gibt keine Armen in Ägypten«, sagte der damalige Premierminister, der ihren Antrag ablehnte. Stattdessen musste das dafür vorgesehene Geld an der Börse investiert werden. Bei der nächsten Kabinettsumbildung war die Ministerin nicht mehr dabei. Und so versteht jeder, der ein Ministeramt bekleidet, dass es nicht darum geht, etwas Innovatives zustande zu bringen, sondern Loyalität zu beweisen. Deshalb bleiben hochrangige Verantwortliche mit ihren neuen Ideen zurück-

haltend und werden somit Vorbild für ihre Beamten.
Keiner traut sich zu, dem Herrscher oder dem Vorge-
setzten schlechte Nachrichten zu überbringen oder ihn
mit Denkanstößen zu belästigen.

Der damalige Präsident Sadat wollte in den siebziger
Jahren des zwanzigsten Jahrhunderts nach jahrelanger
Alleinherrschaft des sozialistischen Präsidenten Nasser
die Demokratie einführen. Er gründete eine Partei namens »Ägypten«, deren Präsident er wurde, die naturgemäß bei den ersten Wahlen die absolute Mehrheit im
Parlament erreichen konnte. Kurz danach verließ der
Präsident diese Partei und wechselte zur Nationalpartei. Mit ihm gingen alle Abgeordneten und Mitglieder
der Ägypten-Partei, und die neue hatte sofort die Mehrheit. Die Ägypten-Partei existiert heute nicht mehr. Die
Nationalpartei regiert dagegen seit über vier Jahrzehnten unangefochten.

Die politischen Reformer denken, in der Demokratie
komme es auf Verfassung und Wahlrecht an, die religiösen Reformkräfte führen die Misere auf eine falsche
Auslegung des Korans zurück.

Eine Reform würde für mich aber bedeuten, die
Kette, die das starre System stützend umspannt, zu
sprengen. Diese Kette besteht aus dem verankerten
Stammesbewusstsein, der religiösen Herrschaftstreue,
verlogener Sexualmoral und ineffektiver Bildung, die
nicht den Verstand stimuliert, sondern veraltete Denkstrukturen zementiert. Die sogenannten Reformer be-
gnügen sich aber oft damit, diese Kette lediglich mit
ihrer Lieblingsfarbe anzustreichen, und nennen dies
dann Veränderung. Sie schmieren Salbe auf die aus

Krebs entstandenen äußerlichen Entzündungen und trauen sich nicht an den Tumor heran – und machen um die wichtigsten Fragen einen großen Bogen. Die Ärzte, die die Medizin verschreiben, sind oft die Krankheitserreger selbst.

Deshalb halte ich die Versöhnung des Islam mit dem Atheismus für die letzte Chance. Es ist Zeit für Häretiker, die den Koran neutralisieren und eine neue Geisteshaltung einführen müssen. Damit meine ich weder einen Aufruf zum Glaubensverlust noch eine Aufforderung, gegen den Koran oder den Propheten zu polemisieren. Wir müssen weder pro noch contra Koran sein, aber wir können einen Deal abschließen: Es ist unfair, Mohamed und den Koran aus der Sicht des einundzwanzigsten Jahrhunderts moralisch zu beurteilen. Aus der gleichen Logik heraus ist es auch unfair, dass wir unseren Alltag im einundzwanzigsten Jahrhundert von den moralischen Vorstellungen des siebten Jahrhunderts beeinflussen lassen. Mit Versöhnung mit dem Atheismus meine ich, dass beides, Glaube und Unglaube, friedlich nebeneinander bestehen können muss, ohne einander auszuschließen. Vor der Gründung Israels sagte Ben Gurion: »Wir werden einen jüdischen Staat haben, erst wenn wir jüdische Polizisten und jüdische Prostituierte haben.« Was den Islam betrifft, werden wir eine muslimische Zivilgesellschaft erst haben, wenn wir muslimische Atheisten haben, die unbehelligt auf der Straße laufen und ihre Gedanken frei ausdrücken können. Heute verfluchen wir unsere Häretiker, morgen werden wir ihnen dankbar sein.

Den ersten Schritt im Prozess der Veränderung nen-

ne ich nicht »Reform«, sondern eine »geregelte Insolvenz«. Erst wenn die islamische Kultur Konkurs an-
meldet und erkennt, warum sie pleitegegangen ist, kann
sie vielleicht einen neuen Anfang wagen. Insolvenz bedeutet in diesem Zusammenhang für mich, dass die islamische Kultur sich von vielen schweren Koffern trennen muss, sollte sie den Weg in die Zukunft beschreiten
wollen. Sie muss sich von vielen Bildern verabschieden:
Gottesbilder, Frauenbilder, Weltbilder, Feindbilder und
Vorbilder. Die Geschlechter-Apartheid hemmt die
Kreativität und schaltet die schöpferische Kraft der
Hälfte der Gesellschaft aus und muss deshalb beendet
werden. Feindbilder haben die Opferrolle bei Muslimen zementiert und sie immer daran gehindert, die eigenen Versäumnisse zu erkennen und nach Lösungen
dafür zu suchen. Die Entwaffnung der eigenen Geschichte und die Einführung eines neuen Geschichtsbe-
wusstseins, basierend auf Verstehen statt Selbstverherrlichung, in das Bildungssystem ist ein Muss. Eine Trennung von Religion, Stammesbewusstsein und politischer
Macht muss erfolgen, um eine moderne Staatsform zu
erreichen. Man mag fragen, was von der islamischen
Kultur danach übrig bleibt außer Trümmern. Das ist
wohl richtig, aber auch Trümmer können eine positive
Funktion haben, wie der Olympiaberg von München
zeigt.

Nichts hasste ich als Schüler in einem ägyptischen
Gymnasium mehr als den Physikunterricht. Aus meiner damaligen Sicht handelte es sich immer um sinnlose
theoretische Formeln über Energie, Thermodynamik

und Atombewegungen, die kein Mensch braucht. Wir durften nie das, was wir dort lernten, durch Experimente in die Tat umsetzen. Aber Physikexamen konnte ich trotzdem immer mit Bravour bestehen, denn ich ging mit der Physik um wie mit dem Koran: auswendig lernen, ohne es zu verstehen. Doch bei der Vorbereitung dieses Buches merkte ich, dass ich aus der Geschichte, Philosophie und Soziologie keine Hoffnung für die Zukunft der islamischen Welt schöpfen kann, weshalb ich einen Exkurs in die Welt der Physik wage, doch am Ende werde ich wieder bei der Philosophie landen.

In der Thermodynamik gibt es den zweiten Hauptsatz der Entropie (Wärmelehre). Dieser geht davon aus, dass mechanische Energie in Wärme, umgekehrt aber niemals Wärme vollständig in mechanische Arbeit umgewandelt werden kann. Mit meinen bescheidenen Physikkenntnissen konnte ich verstehen, dass ungenutzte Energien zwar nicht verlorengehen, dennoch in Unordnung und Chaos enden können. Allerdings schließen die Gesetze der Thermodynamik eine spontane Systemänderung nicht aus.

Epikur, der seinen Schülern in Athen Furchtlosigkeit vor den Göttern und vor dem Tode lehren wollte, gab ihnen ein Beispiel aus der Physik, um zu zeigen, wie das Individuum dem Schicksal oder dem geschlossenen System der Gemeinschaft entkommen kann. Die Welt besteht laut dieser Theorie aus unendlich vielen Atomen, die nach den Gesetzen der Physik in die Leere des Raumes fallen. Wenn alle Atome dem Gesetz folgen würden, würden sie einander nie berühren, und die

Sinneswelt, die wir kennen, wäre nicht wahrnehmbar.
Erst die geringfügigen Abweichungen der Atome von
ihrer Bahn machen die Zusammenballung von Atomen
möglich, die zur Entstehung der Körper führt. Später
übernahm der Philosoph Lukrez die Theorie Epikuros'
und nannte sie *Clinamen*. Wie und warum ein Atom
seine Bahn verlässt, bleibt allerdings unerklärlich. Es
muss die Geschlossenheit des Systems selbst sein, die
diese Abweichungen provoziert. Das Atom kann hier
als das Individuum verstanden werden, die Anzie-
hungskraft als die Regel der Gesellschaft oder der natürliche Lauf der Dinge. Egal wie starr ein System ist,
die Wahrscheinlichkeit einer Veränderung von innen ist
nie auszuschließen, auch wenn diese durch die gewöhn-
liche Entwicklung der Körper kaum zustande kommen
könnte. Der Zusammenbruch der Sowjetunion mag
nur so erklärt werden können.

Das geschlossene arabisch-islamische System provoziert Abweichler und Andersdenkende zum Sprung.
Diese stellen sich gegen die Ordnung, aber nicht immer
um eine Veränderung herbeizuführen. Manche tun es
aus Trotz, manche sehen ihre Abweichung als Mission,
andere wissen gar nicht, dass sie Abweichler sind. Es
mangelt jedenfalls nicht an Individuen in der islamischen Welt, die große unerwartete Sprünge wagen und
das Gleichgewicht des Systems, zumindest kurzfristig,
stören. Häretiker wie Ibn Warraq und Ayan Hirsi Ali
und Kritiker wie Necla Kelek und Wafaa Sultan kann
man als *Clinamen* sehen. Der schmerzliche Druck, den
ihr System auf sie ausübte, forderte sie zum Absprung
heraus. Die Tatsache, dass sie gegen das System wet-

tern, ändert aber nichts daran, dass sie ein Teil von ihm waren und vielleicht immer noch sind.

In einem Punkt sind diese Abweichler mit den russischen Dissidenten während der Sowjetunion wie Solschenizyn, Sinowjew und Sacharow vergleichbar. Sie hatten nicht nur den Mut, aus dem System der Unterdrückung auszubrechen, sondern auch der Welt die Schandtaten dieses Systems vorzuführen. Mit seinem »Archipel Gulag«, der von den Greueltaten des kommunistischen Regimes in den Arbeitslagern berichtete, entzauberte Solschenizyn die Sowjetunion in den Augen vieler europäischer Linker, die im Realsozialismus immer noch eine Utopie sahen. Auch Alexander Sinowjew ärgerte das System durch seine Kritik am Stalinismus und wurde 1978 ausgebürgert. Doch im Westen schrieb er nicht nur über die physische Gewalt des Systems, sondern auch über die positiven Seiten des Kommunismus, die ihn am Leben halten. Solschenizyn war für ihn ein Idealist, die meisten Menschen in der Sowjetunion seien dagegen Alltagsrealisten, die nicht mehr als Stabilität und Arbeit wollten. Die Menschen der Sowjetunion seien deshalb keine Opfer des Kommunismus, sondern Opfer der eigenen Gleichgültigkeit gewesen, schrieb er.

Doch in einem unterscheiden sich die muslimischen oder ex-muslimischen Dissidenten von den russischen Dissidenten deutlich. Die russischen Dissidenten brachten das System in Verlegenheit und machten es nervös. Ihre Schriften erreichten nicht nur den westlichen Intellektuellen, sondern auch die Menschen in allen Städten der Sowjetunion und desillusionierten

auch viele im Inneren. Während Solschenizyn, Sacharow und Sinowjew sowohl zum Westen als auch zu ihrer Bevölkerung sprachen, sprechen Ibn Warraq, Ali
und Kelek fast ausschließlich zum Westen und veröffentlichen ihre Bücher nur in europäischen Sprachen.
Die Debatten, die sie anstoßen, erreichen deshalb kaum
die Menschen, die sie am nötigsten brauchen, nämlich
die Muslime in den islamischen Staaten selbst. Während
diese Dissidenten im Westen als prominent gelten,
kennt sie kaum jemand in der islamischen Welt.

In der islamischen Welt selbst gibt es auch zahlreiche
spontane Abweichler. Es bewegt sich einiges, viele
Tabus werden in der Literatur gebrochen, viele Journalisten nehmen sich die Freiheit, trotz Gefahr, die
Systeme zu kritisieren. Aber man kann noch nicht
von einer Bewegung sprechen. Diese Abweichler sind
Einzelakteure und schaffen es nicht, sich zu einem Netz
zu verknüpfen. Im März 2010 bewarb sich eine voll-
verschleierte Frau aus Saudi-Arabien bei einem beliebten Poesiewettbewerb in Abu Dhabi, den man mit
»Deutschland sucht den Superstar« sowohl in seiner
Popularität als auch im Format vergleichen kann. Als
sie vor der Jury, die nur aus Männern bestand, vortrug,
lieferte sie eine mutige Anklage gegen die Stellung der
Frau in ihrem Land, die als Besitz des Mannes oder als
Vieh im Haus gilt. Mit ihrem Plädoyer bewegte sie Millionen überall in der arabischen Welt, die die Sendung
live via Satellit verfolgten. Der ägyptische Blogger Wael
Abbas riskierte viel und veröffentlichte Videos im Internet, die die täglichen Misshandlungen auf ägyptischen Polizeistationen dokumentieren, und wurde

dafür im März 2010 zu einer Haftstrafe verurteilt. Ein drittes Beispiel bietet die libanesische Dichterin und Journalistin Jumana Haddad, die seit Ende 2008 eine Zeitschrift herausgibt, die mehr als revolutionär ist. Die Illustrierte heißt *Jasad*, Körper, und beschäftigt sich mit allen Themen, die den Körper betreffen: Gesundheit, Kunst, Sexualität. Das Magazin wurde von vielen Seiten als pornographisch beschrieben und scharf attackiert, weil es zum Beispiel offen über Homosexualität und Onanie schreibt. An Kiosken darf das Magazin deshalb nur eingepackt verkauft werden. Sonst wird es hauptsächlich an Abonnenten in allen arabischen Staaten per Post verschickt. Man darf raten, woher die meisten Kunden stammen. Richtig: aus Saudi-Arabien.

Der große Häretiker in der islamischen Welt aber heißt Facebook. Es ist auch der größte Demokrat. Schon wenige Monate nach der Gründung des sozialen Online-Netzwerks hatte Ägypten nach den USA die meisten Nutzer. Überall in den islamischen Staaten sind viele junge Menschen internetsüchtig. Sie chatten über Religion und Politik, schauen sich Pornos an, hören sich die Musik von Beyonce, aber auch die Botschaften von Bin Laden an. Auch Fundamentalisten entdeckten das Internet und Facebook. Die Muslimbruderschaft unterhält mittlerweile ihre eigene Wikipedia. Die größten Gruppen auf Facebook gehören religiösen Predigern wie Qaradawi, Amr Khalid, an. Die größte Fangruppe hat selbstverständlich der Prophet Mohamed selbst.

Das Internet spiegelt die Schizophrenie in der islamischen Gesellschaft wider. Weltweit werden Pornoseiten

am meisten in Pakistan, Iran und Ägypten angeklickt.
Gleichzeitig boomt die Dschihad-Ideologie auch on-
line. Bei den Nutzern handelt es sich nicht unbedingt
um zwei unterschiedliche Gruppen, beide Seiten haben
vielmehr oft die gleichen Leser und Betrachter. Nur das
Internet machte die Verbreitung von Fatwas, aber auch
die Veröffentlichung von Häresien möglich. Ein be-
liebter Blog im Internet lautet »Vereinigung arabischer
Atheisten«. Die Polarisierung nimmt zu. Junge Menschen ringen nach Orientierung.

Auf den Straßen von Kairo erlebte ich in den letzten
drei Jahren zwei Szenen, die mir zeigten, wie ein System sich, zumindest kurzfristig, spontan verändern
kann. Im Herbst 2007 ging ich mit einem Freund eine
Straße im Zentrum Kairos entlang und wurde Zeuge
einer Szene, die sich wohl nur in Ägypten abspielen
kann. Es war Freitagabend, und die lange Einkaufsstra-
ße war so mit Menschen überfüllt, dass ich beinahe
Platzangst bekam. Die Frage, wie all diese Massen drei-
mal am Tag etwas zu essen bekommen und wie eine
Stadt wie Kairo überhaupt noch funktioniert, faszinier-
te mich. Nach allen Einschätzungen und Berechnungen
sollte diese Stadt längst in sich zusammengebrochen
sein. Plötzlich hörte ich mehrere Schreie: »Ashraf, mein
Kind, Ashraf!« Eine junge Mutter aus der Provinz rief
verzweifelt nach ihrem dreijährigen Sohn, den sie in der
Menschenmenge verloren hatte. Sie schrie und schrie,
und plötzlich stand die Straße still. Kein Mensch bewegte sich mehr, und jeder fing an, den Namen des Jungen laut zu rufen. Zum ersten Mal fühlte ich mich als

Teil der Masse und rief: »Ashraf, Ashraf!« Das Schicksal dieses Kindes schien mir als mein eigenes, als das Schicksal von uns allen zu sein. Bald kam die Polizei, was ungewöhnlich ist, da sie üblicherweise erst eintrifft, wenn sich die Sache geklärt hat oder wenn es zu spät ist. Doch die Polizisten konnten nichts ausrichten und fingen an, mit den Massen nach dem Kind zu rufen. Minuten vergingen, und die Rufe erreichten die Parallelstraße, wo das Kind sich aufhielt. Ein junger Mann sah den weinenden Jungen. Sein Ruf wurde von den Massen über eine Entfernung von sechshundert Metern getragen, bis die Nachricht die Mutter erreichte. Die Massen spalteten sich, um den Weg für den Mann mit dem Jungen zu öffnen. Bald lag das Kind in den Armen seiner Mutter, und nicht nur in ihren Augen waren Freudentränen zu sehen. Ein unglaublicher Jubel brach aus. Jeder, der dort stand, war zutiefst gerührt. Das ist Kairo. Das ist auch Ägypten.

Ende Januar 2010 wurde Ägypten Afrika-Meister in der Fußball-Afrikameisterschaft. Millionen von Ägyptern strömten auf die Straßen von Kairo und jubelten bis früh in den Morgen. Alle gesellschaftlichen Regeln schienen für eine Nacht aufgehoben. Frauen durften nicht nur alleine bis spät in der Nacht wegbleiben, sondern tanzten öffentlich und fröhlich auf offener Straße. Manche von ihnen nahmen sogar ihre Kopftücher ab und schwenkten sie in der Luft. Man sah in ihren Augen den Wunsch nach Freiheit und die Sehnsucht danach, Teil von etwas Schönem zu sein. Ich sah die glücklichen Gesichter der jungen Menschen und dachte, diejenigen, die die Pyramiden gebaut haben, müssen auch enthusiastische Ägypter gewesen sein, wie diese, die ihr Land lieben. Was ist denn schiefgelaufen? Ist es wirklich nur die Diktatur des Systems, die ihnen im Wege steht, oder liegt es womöglich an der dicken Lehmschicht, die ihre Wahrnehmung und ihren Verstand umhüllt? Sie sollten sich vielleicht nur Ludwig Börnes Satz zu Herzen nehmen: »Einen Wahn verlieren macht weiser als eine Wahrheit finden.«

Aufklärung, wie Kant sie versteht, ist der Ausgang des Menschen aus seiner selbstverschuldeten Unmündigkeit. Unmündigkeit entsteht, wenn man seinen Verstand abschaltet und auf die Leitung anderer angewiesen ist. Aufklärung bedeutet aber nicht unbedingt, die Religion zu entsorgen. Die jüdische Emanzipation begann mit der Initiative eines gläubigen Philosophen namens Moses Mendelssohn, der Bildung großschrieb. Auch in Skandinavien richtete sich die Aufklärung nicht wie in Frankreich gegen die Kirche, sondern wurde von einem Pfarrer namens Nikolai Frederik Severin Grundtvig eingeleitet, der in Dänemark die erste Volkshochschule der Welt gründete. Der Ausgang von Grundtvigs Aufklärung war die dreifache Frage, was es bedeute, ein Mensch zu sein, und welche Rolle dieser Mensch in seiner Gesellschaft und in seiner Welt spielen solle. »Zuerst Mensch und dann Christ« war Grundtvigs Motto für die Aufklärung. Bildung für alle, die Organisation der Bauern in Verbänden und sein Engagement, das später in die Gründung politischer Parteien für die Arbeiter mündete. Dies waren die Mei-

lensteine, die Grundtvig für die dänische Modernisierung und die Sozialdemokratie legte, worauf der Wohl-
fahrtsstaat in allen skandinavischen Staaten heute ba-
siert ist.

Nicht nur Abweichler, die sich abkapseln und das
System verlassen, braucht die islamische Welt, sondern
auch solche, die, wie Grundtvig, in der Mitte des Systems bleiben und es, wie ein trojanisches Pferd, von innen unterwandern. Wir brauchen Imame, die Averroes,
Kant und Spinoza gelesen haben, und Moscheen, in denen Frauen nicht nur ohne Abtrennung neben Männern beten, sondern auch predigen können. Wir brauchen mehr Mut und mehr klare Worte. Wenn es nach
mir ginge, wollte ich den Wahlspruch der Aufklärung
aus jedem Minarett in der islamischen Welt fünfmal am
Tag hören: Sapere aude! Habe Mut, dich deines eigenen
Verstandes zu bedienen!

Auf Wiedersehen, Orient oder: Aufbruch oder Zusammenbruch?

Aufklärung war noch nie umsonst zu haben. Eine Modernisierung nach dem Zauberspruch »Sesam, öffne dich!« wird es nicht geben. Es stimmt zwar, dass wir uns in einer Zeit des Umbruchs befinden, eines Umbruchs nicht nur in der islamischen Welt. Doch was den Islam betrifft, kommt nach meiner Einschätzung zunächst der Zusammenbruch. Das Erdöl geht zur Neige, die klimatischen Bedingungen in der Region verschärfen sich und revitalisieren alte Konflikte, die geistige Erstarrung nimmt zu und findet immer mehr Anhänger, die sich von der Welt isolieren. Die Radikalen werden immer radikaler und die Liberalen noch liberaler. Die Fronten sind verhärtet wie selten zuvor.

Der Weg der Modernisierung führt über den Umweg der totalen Islamisierung. Doch die halbwegs säkularen Machthaber in der islamischen Welt und ihre westlichen Verbündeten können sich diesen Umweg nicht leisten. Was in Algerien, Anfang der neunziger Jahre des zwanzigsten Jahrhunderts, nach dem Sieg der Islamisten bei den Parlamentswahlen und der darauffolgenden Annullierung der Wahlergebnisse geschah, droht auch in Ägypten, Marokko, Tunesien und Jordanien. Der Bürgerkrieg in Algerien, die Auseinandersetzungen in Pakistan, Irak, Somalia und im Sudan sind nur ein Vorgeschmack dessen, was noch kommen kann. Die Religionskriege, die Europa an der Wende vom Mittelalter zur Neuzeit ausbluten ließen und später einen Umdenkungsprozess in Gang setzten, werden in der islamischen Welt zwischen Sunniten und Schiiten, zwischen säkularen und religiösen Kräften ausgetragen. Der Ausgang dieses Kulturkampfes wird entscheiden, ob der Bruch ein Auf- oder ein Zusammenbruch wird.

Diese ideologischen Konflikte werden durch den Klimawandel in der Region verschärft, der einen zusätzlichen Druck auf die Menschen dort ausübt. Der Kampf um die knappen Ressourcen wird die ideologischen Auseinandersetzungen weiter eskalieren lassen. Die rückständige Forschung in der arabischen Welt und die Abhängigkeit vom Erdöl als Haupteinkommensquelle hinderte die arabischen Staaten daran, die Auswirkungen der Erderwärmung frühzeitig zu erkennen und Schritte zu unternehmen, um den dramatischen Entwicklungen entgegenzuwirken. Obwohl die Region zu den sonnenreichsten der Erde gehört, spielen Solar- und andere erneuerbare Energien dort kaum eine Rolle. Der Konsum geht ungebremst weiter, ohne Umweltbewusstsein und ohne Konzepte für einen Ausgleich. Der kontinuierliche Abbau von Grünflächen und das Errichten von gigantischen Hotelanlagen direkt an den Küsten zugunsten eines nicht nachhaltigen Massentourismus vergewaltigt die Umwelt und stört das Ökosystem massiv. Eine gleichgültige, fatalistische Haltung und der Mangel an nachhaltigem Denken lässt die Um-

weltprobleme in der arabischen Welt als Nebensache
oder als gar nicht existent erscheinen.

Jahrelang galt Klimaforschung in den arabischen
Staaten als Luxus, den sich nur der reiche Westen leisten kann. Kurz vor dem letzten Klimagipfel in Kopenhagen Anfang 2010 erschien dann doch die erste ernst-
zunehmende arabische Studie zur Klimaveränderung
im Nahen Osten. Sollten die Verfasser der Studie recht
behalten, ist der endgültige Untergang der arabischen
Welt nur eine Frage der Zeit. Die Studie des arabischen
Forums für Umweltforschung und Entwicklung
(AFED), das seinen Sitz in Beirut hat, geht davon aus,
dass im Zuge der Wasserknappheit große Teile des
fruchtbaren Halbmondes vom Libanon bis zum Irak
bis zum Ende dieses Jahrtausends verschwinden werden. Die Ergebnisse dieser Studie sagen aber der gesamten Region kurz- bis mittelfristig eine düstere Zukunft voraus. Bereits heute besitzen die arabischen
Staaten zehn Prozent der weltweiten Agrarflächen,
verfügen jedoch nur über weniger als ein Prozent der
Süßwasservorräte. Und diese werden bis 2050 noch
knapper. Die AFED-Studie wurde Ende 2009 in einer
Konferenz vorgestellt, die mit einem demonstrativen
Plakat eröffnet wurde: »Wir können Erdöl nicht trinken«. Die Studie verlangt, die Ölproduktion zurückzu-
nehmen und die Wege für erneuerbare Energien in den
arabischen Staaten zu öffnen. Doch die ölreichen Golfstaaten, allen voran Saudi-Arabien, haben sich unversöhnlich gegenüber dieser Forderung gezeigt, obwohl
sie selbst durch den Klimawandel am meisten leiden
werden.

Als Ergebnis der Erderwärmung soll der Meeresspiegel bis Ende des 21. Jahrhunderts ansteigen, so dass große Teile der Vereinigten Arabischen Emirate, Kuwaits und Katars existenziell betroffen sein werden. Auch zwölf bis fünfzig Prozent des ägyptischen Nildeltas sollen dadurch für den Ackerbau untauglich werden, was fatale Konsequenzen für die ägyptische Wirtschaft haben wird. Bereits heute droht ein Konflikt zwischen Ägypten und Äthiopien und Kenia zu eskalieren, weil Staudämme am oberen Nil geplant sind, die Ägyptens Wasserversorgung bedrohen. Der Anbau von Baumwolle und Getreide wird dadurch massiv beeinträchtigt. Einen Rückgang der Lebensmittelproduktion in der gesamten arabischen Region um fünfzig Prozent befürchten die Verfasser der Studie. Darüber hinaus sind auch viele Urlaubsziele in der arabischen Welt betroffen, die zusätzlich durch das sich verschlechternde Ökosystem und die immer weiter steigenden Temperaturen für Touristen unattraktiv werden. Sollten den arabischen Staaten nach dem Versiegen des Erdöls auch die Einnahmen aus dem Tourismus fehlen, dürfte sich die ohnehin wacklige arabische Wirtschaft davon kaum erholen. Eine vollkommen neue, auf Hightech basierte Wirtschaft müsste entstehen, um die Region tatsächlich zu retten. Ein Blick auf die aktuelle Bildungs- und Wissenschaftskultur in der arabischen Welt lässt allerdings erhebliche Zweifel an der Möglichkeit einer solchen zukunftsweisenden Veränderung aufkommen. Eine derartige Transformation ist dem schwerfälligen islamischen Körper nicht zuzutrauen. Die Klimastudie sagt ebenfalls voraus, dass das

Wasser des Jordans massiv zurückgehen wird, was den Konflikt zwischen Israel, Jordanien und den palästinensischen Gebieten auf dramatische Weise zuspitzen wird.

Dabei sollte nicht außer Acht gelassen werden, dass der Klimawandel in der arabischen Welt kein Zukunftsszenario mehr darstellt, sondern längst bittere Realität ist. So schreibt Harald Welzer in seinem Buch »Klimakriege. Wofür im 21. Jahrhundert getötet wird«, dass sich die Wüste im Norden des Sudans in den letzten vierzig Jahren um hundert Kilometer nach Norden vorgearbeitet hat. Die Regenmengen werden laut dem UN-Umweltprogramm im Lande um fünf Prozent im Jahresdurchschnitt zurückgehen, was einen Rückgang von siebzig Prozent der Getreideernte bedeuten würde. Das UN-Programm prognostiziert ebenfalls für Regionen des Sudans das Verschwinden des gesamten Waldes bereits in den kommenden zehn Jahren. Welzer macht diese klimatischen Veränderungen für den seit fünfzig Jahren andauernden Bürgerkrieg zwischen dem dürren Norden und dem fruchtbaren Süden des Sudans mit Hunderttausenden von Toten und mehr als fünf Millionen Flüchtlingen verantwortlich. Zwei Millionen dieser Flüchtlinge halten sich allein in Darfur auf, das zu den ärmsten Gebieten der Erde zählt.

Dreißig Jahre sind es noch, schätzen die Experten, bis zum Ende des Ölsegens und der Ölplage in Arabien. Unter dem Versiegen der Öl- und damit Geldquellen werden nicht nur die Golfstaaten leiden, sondern viele islamische Länder, die auf das Geld ihrer Gastarbeiter angewiesen sind. Allein fünf Millionen Ägypter verdienen ihren Lebensunterhalt in Saudi-Arabien. Diese Gastarbeiter werden mit der Ideologie der Wahhabiten und mit schlechten Zukunftsaussichten in ihre Heimatländer zurückkehren. Welche Wirkung diese Remigranten auf die wirtschaftliche und soziale Balance in ihren Ländern haben werden, bleibt abzuwarten.

Wüste und Bevölkerung wachsen, Erdöl, Wasser und Nahrung werden immer knapper. Dies ergibt ein explosives Gemisch, das jeden Nationalstaat schwächen muss. Der Staat wird das Gewaltmonopol verlieren, was zu Unruhen bis hin zur Anarchie führen kann. Hinzu kommt eine unversöhnliche Geisteshaltung gegenüber dem Westen und der modernen Wissenschaft, wie gegenwärtig in vielen arabischen Staaten zu beobachten ist. All diese Faktoren legen es leider nahe, der Prognose zuzustimmen: Die arabisch-islamische Welt wird untergehen. Zwei Prinzipien beherrschen das Leben und die Natur: Vielfalt und Flexibilität. Wer gegen sie verstößt, stirbt aus. Die islamische Welt tut dies seit geraumer Zeit und wird deshalb in sich zusammenfallen. Es bleibt nur, sich Spenglers Rat zu Herzen zu nehmen: dem Untergang der eigenen Kultur »gefasst ins Auge zu schauen«, die Ursachen dafür unaufgeregt zu analysieren und das zu retten, was noch zu retten ist. Aus den Ruinen der zerfallenen islamischen Zivilisation sollte man auch einen Hügel errichten, von wo aus die Menschen einen Blick auf die Welt werfen können. Wie Fukuzawa Yukichi einst »Auf Wiedersehen, Asien« sagte, um Japan auf den Weg der Modernisierung

zu bringen, werden Muslime »Auf Wiedersehen, Orient« sagen müssen, um ihn zu retten. Ich fürchte nur,
dass aus diesem »Auf Wiedersehen« keine geistige Erneuerung, sondern die größte Völkerwanderung der
Geschichte erwachsen wird.

Denn der Untergang der islamischen Welt bedeutet,
dass die Migrationswellen Richtung Europa zunehmen.
Entweder wird man den Neuzugewanderten die Pfor-
ten öffnen müssen oder sie im Mittelmeer ertrinken lassen. Europa ist dem in beiden Fällen weder moralisch
noch wirtschaftlich gewachsen. Junge Muslime, die vor
Armut und Terrorismus fliehen, werden auch die Konflikte ihrer Heimatländer mit nach Europa tragen. Europa stellt für sie zwar eine Hoffnung in der Krise dar,
doch befreien können sie sich trotzdem nicht von ihren
alten Feindbildern. Sie werden in einen Kontinent einwandern, den sie innerlich verachten und für ihre Misere verantwortlich machen. Weder die staatlichen Insti-
tutionen noch die hier alteingesessenen muslimischen
Einwanderer können ihnen helfen, sich einzugliedern.
Die privatisierte Gewalt, die im Zuge des Untergangs
ihrer Staaten entstanden ist, wird sich somit nach Europa auslagern. Die zahlreichen Sünden des Westens
und die Versäumnisse der islamischen Welt in den letzten Jahrhunderten werden sich erneut asymmetrisch
begegnen und in die Augen schauen. Sollte die islamische Welt tatsächlich untergehen, könnte sich auch
Spenglers Prophezeiung über den Untergang des
Abendlandes bewahrheiten. Das ist die Kehrseite der
Globalisierung. Schwere Zeiten warten auf uns auf bei-

den Seiten des Mittelmeers, und uns allen läuft die Zeit davon.

Der Wald wird niederbrennen, und der Rauch wird zum Himmel steigen. Aber neue Bäume werden an der gleichen Stelle trotzdem wachsen. Kulturen entstehen und verschwinden wie eine Sandburg am Strand. Das Meer aber bleibt und seine Wellen werden immer kommen und gehen, unabhängig davon, welche Gestalt die Sandburg am Strand hat.

Dank

Dank an Stefan Ulrich Meyer, der durch seine hervorragende Arbeit den Text bereicherte; an Alexander Simon, der dieses Buchprojekt mit großer Begeisterung und Unterstützung begleitete, und an Connie Minami Hansen, die mit mir jede These ausführlich diskutierte.

Weiterführende Literatur

Abou Mousa Al-Hariri: qass wa nabi, bahth fi nasha'at al-islam, 2001

Al-Aswani, Alaa: limaza la yathur al-masriyyuun, 2010

Al-Rasafi, Marouf: al-shakhsiyya al-muhammadiyya, 2002

Al-Tabari, Abi Ga'afar Mohamed Ibn Jarir: tarikh al-umam wal-muluk (1–3), 1988

Amin, Ahmed: Fajr al-Islam, 2000

Amin, Ahmed: Duha al-Islam, 2000

Amin, Galal: maza hadatha lil-masriyyin, 2008

Aslan, Reza: Kein Gott außer Gott. Der Glaube der Muslime von Muhammad bis zur Gegenwart, 2008

Blaker, Carmen: Japanese Enlightenment, A Study of the Writings of Fukuzawa Yukichi (University of Cambridge, oriental publications No. 10), 1964

Brenner, Michael: Geschichte des Zionismus, 2002

Brenner, Michael: Kleine Jüdische Geschichte, 2008

Courbage, Youssef & Todd, Emmanuel: Die unaufhaltsame Revolution. Wie die Werte der Moderne die islamische Welt verändern, 2007

Denon, Vivant & Arndt, Helmut: Mit Napoleon nach Ägypten 1798–1799, 2006

Der Koran, arabische Ausgabe, 1993

Diner, Dan: Versiegelte Zeit. Über den Stillstand der islamischen Welt, 2007

Fromm, Erich: Die Furcht vor der Freiheit, 1989

Heggy, Tariq: suguun al-fikr al-arabi, 2010

Hottinger, Arnold: Bonaparte in Ägypten: Aus der Chronik des Abdelrahman Al-Gabarti, 1989

Ibn Ishaq: Das Leben des Propheten, 2004

Ibn Khaldun: Buch der Beispiele, al-muqaddima, 1997

Jonker, Gerdien & Hecker Pierre: Muslimische Gesellschaften in der Moderne. Ideen, Geschichten, Materialien, 2007

Krebs, Gerhard: Das moderne Japan 1868–1952: Von der Meiji-Restauration bis zum Vertrag von San Francisco, 2009

Lewis, Bernard: Die Wut der arabischen Welt. Warum der jahrhundertelange Konflikt zwischen Islam und dem Westen weiter eskaliert, 2003

Luxenberg, Christoph: Die syro-aramäische Lesart des Korans. Ein Beitrag zur Entschlüsselung der Koransprache, 2007

McGregor, Andrew James: A Military History of Modern Egypt from the Ottoman Conquest to the Ramadan War, 2006

Meddeb, Abdelwahab: Die Krankheit des Islam, 2007

Nagel, Tilman: Die islamische Welt bis 1500, 1998

Ramadan, Tariq: Radikale Reform. Die Botschaft des Islam für die moderne Gesellschaft, 2009

Roy, Olivier: Failure of political Islam, 1994

Roy, Olivier & andere: Der islamische Weg nach Westen: Globalisierung, Entwurzelung, Radikalisierung, 2006

Sartre, Jean Paul: Das Sein und das Nichts. Versuch einer phänomenologischen Ontologie, 1991

Schulze, Reinhard: A Modern History of the Islamic world, 2002

Schmidt, Ernst A.: Clinamen, 2007

Spengler, Oswald: Der Untergang des Abendlandes, 2007

Spiegel-Geschichte Nr. 2/2010

Tibi, Bassam: Vom Gottesreich zum Nationalstaat: Islam und panarabischer Nationalismus, 1987

Waldmann, Peter: Determinanten des Terrorismus, 2005

Wezler, Harald: Klimakriege. Wofür im 21. Jahrhundert getötet wird, 2008

Wolf, Christian: Die ägyptische Muslimbruderschaft. Von der Utopie zur Realpolitik, 2008

Zewail, Ahmed: Reise durch die Zeit. Weg zum Nobelpreis, 2006

Leseprobe aus

Hamed Abdel-Samad

Mein Abschied vom Himmel
Aus dem Leben eines Muslims
in Deutschland

320 Seiten
ISBN 978-3-426-78408-2

Knaur Taschenbuch Verlag

Grüß Gott, Deutschland

Am Tag, als ich das Visum für Deutschland erhielt, lief ich ziellos durch die Straßen von Kairo, sah Häuser an, beobachtete Menschen, roch die Menge, die frittierten Falafeln und die Abgase.

Kairo lächelt müde. Wie ausgestreckte Finger richten sich die Minarette klagend gegen den Himmel und brüllen unaufhörlich den Namen Gottes. Gott selbst aber schweigt und überlässt Kairo seinem Schicksal. Stillstand, Konfusion, Lärm und Smog. Man nennt unsere Hauptstadt »die Siegreiche«, ich finde »die Besiegte« passender. Nur in einem blieb Kairo siegreich: Es besiegte seine Einwohner und begrub sie unter sich.

Es wurde Nacht, und ich lief noch immer wie benommen durch das Zentrum der Stadt, den Reisepass in der Hand, und nahm die westlichen Verheißungen auf: Die Verkehrslawine, die kalten Leuchtreklamen, die engen Touristenbasare und der bestialische Gestank der Industrieabgase machten mir Angst vor der Fremde. Plötzlich stand ich an einer Straße, die zu betreten ich mich 19 Jahre lang geweigert hatte. Aber dieses Mal wagte ich den Gang zum Haus meines Großvaters. Jenem Ort, wo ich die schönsten und schrecklichsten Momente meiner Kindheit erlebt hatte. Ich weiß nicht, warum ich mir das antat.

Vielleicht erinnerte mich der alte Mann, der die ganze Nacht vor der deutschen Botschaft wartete, an meinen Großvater. Vielleicht wollte ich eine Wunde als Andenken mitnehmen, bevor ich Ägypten für immer verließ. Oder ich suchte den Schmerz als Rechtfertigung für meine Flucht aus dem Land. Alles schien unverändert. Das Restaurant, die Cafés und die Bäckerei. Das Hochhaus, wo mein Großvater früher wohnte, stand nicht mehr. An seiner Stelle klaffte eine Baugrube. Die Fundamente versprachen ein großes, modernes Gebäude, aber sie versprachen auch ein Haus ohne Seele. Die Eisenstangen, die aus dem Fundament wuchsen, erinnerten an die Stacheln eines vertrockneten Kaktusbaums.

Die Dachgeschosswohnung meines Großvaters und die Werkstatt des Automechanikers im Erdgeschoss waren verschwunden. Zwischen ihnen lag die längste Treppe der Welt. Von dort oben beobachtete ich als Kind jeden Tag mit Begeisterung die Welt unter mir. Und dort unten zerbrach mein Leben.

Ich habe nicht geweint und spürte keinen Schmerz. Die schönen und schrecklichen Erinnerungen wechselten sich ab. Schließlich winkte ich der Baulücke, wo einmal mein Zuhause gewesen war, ging weg und glaubte, es sei ein Abschied für immer. Ich ahnte noch nicht, dass nicht nur die letzten 19 Jahre, sondern auch die folgenden eine Flucht vor diesem Ort waren.

Botschaft der Erlösung

Bevor ich nach Deutschland kam, war für mich »Deutschland« mit Namen, Bildern und Ereignissen verbunden: Rilke und Goethe, Hitler und Göring. Die Ruinen und der Wiederaufbau. Das geteilte Deutschland und das der friedlichen Wiedervereinigung. Disziplin und Zielstrebigkeit, »Made in Germany« und natürlich die deutsche Fußballnationalmannschaft, die fast jedes Spiel gewann, obwohl sie nicht besonders attraktiv spielte. Deutschland war für mich das Land von Martin Luther und das Land der Freizügigkeit; das Land von Marx und Mercedes, der Dichter, Philosophen und Helden, das aber keine Helden mehr haben darf. Das Land der Kreuzritter, die mit mir verwandt sein sollen. Im ägyptischen Fernsehen hatte ich Bilder vom Fall der Berliner Mauer, marschierende Neonazis und brennende Asylantenheime gesehen. Außerdem hatte ich vage Vorstellungen von freizügigen, gut gebauten Blondinen, die halbnackt auf der Straße laufen. Ein ägyptischer Film aus den achtziger Jahren vermittelte mir das Bild eines reichen Deutschland, in das ein ungebildeter junger Ägypter auswandert, binnen kurzer Zeit Millionär wird und eine bildhübsche Deutsche heiratet.

Ich wusste einiges über die deutsche Literatur, aber wenig über die politische und soziale Realität. Mein Deutschlandbild war, wie das der Mehrheit der Ägypter, vorwiegend positiv, auch weil Deutschland keine koloniale Vergangenheit in der arabischen Welt hatte. Das dunkelste Kapitel der deutschen Geschichte wird von Arabern ausgeblendet oder bagatellisiert. Da Ägypten jahrelang mit Israel in Konflikt stand, lernten wir in der Schule weder etwas über das jüdische Volk noch über den Holocaust. Manche Ägypter leugnen den Holocaust, andere versuchen ihn zu rationalisieren, wieder andere heißen ihn gut.

Meine erste direkte Erfahrung mit Deutschland machte ich vor meiner Abreise. Es war eine Begegnung voller Verbitterung und Schamgefühle. Im Frühjahr 1995 ging ich zur deutschen Botschaft im vornehmen Kairoer Stadtteil Zamalek, um ein Visum zu beantragen. Ich nahm ein Taxi, um meine eigens dafür gekaufte Kleidung nicht in den überfüllten Bussen zerknittern zu lassen. Mich überraschten die Massen von jungen Ägyptern, die in der Aprilhitze vor der Botschaft standen, als umrundeten sie die Kaaba. Doch von den Tausenden, die ins gelobte Land der »Ungläubigen« wollten, durften pro Tag nur 50 Pilger in den deutschen Palast, und diese hatten ihre Plätze bereits in der vorigen Nacht ergattert. Die arroganten Sicherheitsangestellten der Botschaft versuchten vergeblich die Massen zu verscheuchen. Wohin sollten sie gehen? Seit Jahren bestand ihr Leben aus einem nie endenden Warten: Warten auf eine Chance, Warten vor einer eisernen Tür, mit der blassen Hoffnung, dass sie sich irgendwann öffnet.

Was für eine Schizophrenie. Wie oft haben wir den Westen verflucht und ihn für unser Elend verantwortlich gemacht. Und am Ende bleibt uns nichts übrig, als an den Türen seiner Botschaften zu warten, um Einlass zu finden? Ich ging weg und kam am frühen Abend zurück. Zwanzig Wartende standen bereits da. Einer wollte seinen Bruder besuchen und dann untertauchen. Vier wollten, wie ich, studieren, einer wollte eine alte deutsche Touristin heiraten, die er als Kellner in einem Hotel kennengelernt hatte. Der Rest wusste nicht recht, was er in Deutschland suchte. Sie wollten weg. Einige warteten, weil die Schlange vor der deutschen Botschaft kürzer war als die vor der amerikanischen. Fast alle waren junge gebildete Männer, die Ägypten gut gebrauchen könnte, die aber keine Perspektive mehr hatten. Sie waren zwar gut ausgebildet, verfügten aber nicht über die nötigen Beziehungen, die ihnen einen guten Job verschaffen würden. Auch ein siebzig Jahre alter Mann stellte sich an. Vielleicht wollte er einen Familienangehörigen besuchen, dachte ich. Er lehnte sich gegen die Mauer und schwieg. Im Gegensatz zu uns beiden waren alle auf die Nacht vorbereitet. Ein junger Mann bot dem Alten ein Kissen an, aber der lehnte ab. Mir fiel auf, dass er keine Bewerbungsmappe bei sich hatte. Irgendwann wurde ein mobiler Kiosk aufgebaut, wo die wachsende Menge vor der Botschaft Tee und Snacks kaufen konnte. Die Chancenlosigkeit vieler gab zumindest einem Teeverkäufer die Gelegenheit, sein Brot zu verdienen. Ich bewundere die Flexibilität der Ägypter, wenn es um die Schaffung von Arbeitsplätzen geht. Wer keinen Job findet, nimmt eine Handvoll Taschentücher, verkauft sie in den Bussen oder an Ampeln und nennt sich Geschäftsmann.

Schon vor Mitternacht waren die begehrten ersten fünfzig Plätze besetzt, trotzdem blieben auch diejenigen, die später kamen, in der Hoffnung, dass einer aufgeben oder dass die Botschaft vielleicht mehr Bewerber einlassen würde. Man redete und lachte und fantasierte, wie das Leben in Deutschland wohl ausschauen könnte, auch wenn der Mehrheit bewusst war, dass ihre Chance auf ein Visum so groß war wie auf einen Sechser im Lotto.

Das Gelächter der jungen Männer weckte den Alten. Verbittert musterte er uns. Später lehnte er sich erneut gegen die Mauer der Botschaft und schlief wieder ein. Irgendwann waren wir alle eingenickt. Von der Morgensonne wurde ich geweckt. Der erste Mann in der Schlange klammerte sich auch noch im Schlaf an die Tür der Botschaft. Der illegale Teeverkäufer packte ein und verschwand.

Der Alte saß nach wie vor gegen die Wand gelehnt und starrte ins Nichts. Bald richtete sich jeder auf, und wir standen in der Schlange, um unsere Plätze gegen die Neuankommenden zu verteidigen. Kurz bevor die Botschaft öffnete, drängte sich ein junger Geschäftsmann durch und stand vor dem alten Mann. Gerade als ich ihm zu Hilfe eilen wollte, sah ich, wie er dem Alten fünf Pfund gab: »Jetzt können Sie nach Hause gehen!« Ein wohlhabender Geschäftsmann, der es sich leisten konnte, andere für sich stundenlang warten zu lassen, hatte sich einen Platz in der Schlange reservieren lassen. Ich schämte mich dafür. Hat der Geschäftsmann den Alten ausgenutzt oder ihm einen Verdienst ermöglicht? Als ich an der Reihe war und eingelassen wurde, stand ich vor einem ägyptischen Botschaftsangestellten, der Deutsch sprach.

Ich musste einräumen, noch kein Deutsch zu sprechen, enttäuscht, dass meine Zukunft immer noch in den Händen eines Ägypters lag. Nachdem ich seine unendlichen Fragen über mein Leben in Deutschland, die Finanzierung meines Aufenthalts und die Krankenversicherung beantwortet hatte, nahm er meine Papiere an und sagte, dass ich erst mein Visum bekommen könne, wenn die Ausländerbehörde in Deutschland zustimmen würde. Ich verließ die Botschaft, rezitierte aus dem Koran: »Oh, Allah, führe uns aus diesem Lande heraus, dessen Menschen ungerecht sind.«